Wilhelm und Jacol
Deutsche Sag
Bearbeitet von Augı

SEVERUS Verlag

ISBN: 978-3-95801-687-3
Druck: SEVERUS Verlag, 2017
Nachdruck der Originalausgabe von 1876
Coverbild: www.pixabay.com

Satz und Lektorat: Amelie Bölscher

Der SEVERUS Verlag ist ein Imprint der Diplomica Verlag GmbH.
Bibliografische Information der Deutschen Nationalbibliothek:
Die Deutsche Nationalbibliothek verzeichnet diese Publikation in der
Deutschen Nationalbibliografie; detaillierte bibliografische Daten
sind im Internet über http://dnb.d-nb.de abrufbar.

© SEVERUS Verlag, 2017
http://www.severus-verlag.de
Printed in Germany
Alle Rechte vorbehalten.
Der SEVERUS Verlag übernimmt keine juristische Verantwortung
oder irgendeine Haftung für evtl. fehlerhafte Angaben und deren
Folgen.

Wilhelm und Jacob Grimm

Deutsche Sagen
Bearbeitet von August Döring

Inhalt

Der Bergmönch im Harz

Zwei Bergleute arbeiteten immer gemeinschaftlich. Einmal, als sie anfuhren, sahen sie an ihrem Geleucht, dass sie nicht genug Öl zu einer Schicht auf den Lampen hatten. „Was fangen wir da an?", sprachen sie miteinander, „geht uns das Öl aus, so dass wir im Dunkeln sollen zu Tag fahren, sind wir gewiss unglücklich, da der Schacht schon gefährlich ist. Fahren wir aber jetzt gleich aus, um von Haus Öl zu holen, so straft uns der Steiger und das mit Lust, denn er ist uns nicht gut." Wie sie also besorgt standen, sahen sie ganz fern in der Strecke ein Licht, das ihnen entgegen kam. Anfangs freuten sie sich, als es aber näher kam, erschraken sie gewaltig, denn ein ungeheurer, riesengroßer Mann ging, ganz gebückt, in der Strecke herauf. Er hatte eine große Kappe auf dem Kopf und war auch sonst wie ein Mönch angetan, in der Hand aber trug er ein mächtiges Grubenlicht. Als er bis zu den beiden, die in Angst still standen, geschritten war, richtete er sich auf und sprach: „Fürchtet euch nicht, ich will euch kein Leids antun, vielmehr Gutes", nahm ihr Geleucht und schüttete Öl von seiner Lampe darauf. Dann aber ergriff er ihre Arbeitsgeräte und arbeitete ihnen in einer Stunde mehr, als sie selbst in der ganzen Woche bei allem Fleiß herausgearbeitet hätten. Nun sprach er: „Sagt's keinem Menschen je, dass ihr mich gesehen habt", und schlug zuletzt mit der Faust links an die Seitenwand; sie tat sich auseinander, und die Bergleute erblickten eine lange Strecke, ganz von Gold und Silber schimmernd. Und weil der unerwartete

7

Glanz ihre Augen blendete, so wendeten sie sich ab, als sie aber wieder hinschauten, war alles verschwunden. Hätten sie ihre Bilhacke (Hacke mit einem Beil) oder sonst nur irgendeinen Teil ihres Gerätes hineingeworfen, so wäre die Strecke offen geblieben und ihnen viel Reichtum und Ehre zugekommen; aber so war es vorbei, wie sie die Augen davon abgewendet.

Doch blieb ihnen auf ihrem Geleucht das Öl des Berggeistes, das nicht abnahm und darum noch immer ein großer Vorteil war. Aber nach Jahren, als sie einmal am Sonnabend mit ihren guten Freunden im Wirtshaus zechten und sich lustig machten, erzählten sie die ganze Geschichte, und Montags Morgen, als sie anfuhren, war kein Öl mehr auf der Lampe, und sie mussten nun jedes Mal wieder, wie die andern, frisch aufschütten.

Frau Holla und der treue Eckart

In Thüringen liegt ein Dorf, namens Schwarza, da zog Weihnachten Frau Holla vorüber und vorn im Haufen ging der treue Eckart und warnte die begegnenden Leute, aus dem Wege zu weichen, dass ihnen kein Leid widerfahre. Ein paar Bauernknaben hatten gerade Bier in der Schenke geholt, das sie nach Haus tragen wollten, als der Zug erschien, dem sie zusahen. Die Gespenster nahmen aber die ganze breite Straße ein, da wichen die Dorfjungen mit ihren Kannen abseits in eine Ecke; bald nahten sich verschiedene Weiber aus der Rotte, nahmen die Kannen und tranken. Die Knaben schwiegen aus Furcht stille, wussten aber doch nicht, was sie zu Haus sagen sollten, wenn sie mit leeren Krügen kämen. Endlich trat der treue Eckart herbei und sagte: „Das riet euch Gott, dass ihr kein Wörtchen gesprochen habt, sonst wären euch eure Hälse umgedreht worden; gehet nun flugs heim und sagt keinem Menschen etwas von der Geschichte, so werden eure Kannen immer voll Bier sein." Dieses taten die Knaben und es war so, die Kannen wurden niemals leer, und drei Tage nahmen sie das Wort in Acht. Endlich aber konnten sie's nicht länger bergen, sondern erzählten aus Vorwitz ihren Eltern den Verlauf der Sache, da war es aus und die Krüglein versiegten.

Die Springwurzel

Vorzeiten hütete ein Schäfersmann friedlich auf dem Köterberg[1], da stand, als er sich einmal umwendete, ein prächtiges Königsfräulein vor ihm und sprach: „Nimm die Springwurzel und folge mir nach." Die Springwurzel erhält man dadurch, dass man einem Grünspecht (Elster oder Wiedehopf) sein Nest mit einem Holz zukeilt; der Vogel, wie er das bemerkt, fliegt alsbald fort und weiß die wunderbare Wurzel zu finden, die ein Mensch noch immer vergeblich gesucht hat. Er bringt sie im Schnabel und will sein Nest damit wieder öffnen, denn hält er sie vor den Holzkeil, so springt er heraus, wie vom stärksten Schlag getrieben. Hat man sich versteckt und macht nun, wie er herankommt, einen großen Lärm, so lässt er sie erschreckt fallen (man kann aber auch nur ein weißes oder rotes Tuch unter das Nest breiten, so wirft er sie darauf, sobald er sie gebraucht hat). Eine solche Springwurzel besaß der Hirt, ließ nun seine Tiere herumtreiben und folgte dem Fräulein. Sie führte ihn bei einer Höhle in den Berg hinein; kamen sie zu einer Türe oder einem verschlossenen Gang, so musste er seine Wurzel vorhalten und alsbald sprang sie krachend auf. Sie gingen immer fort, bis sie etwa in die Mitte des Berges gelangten, da saßen noch zwei Jungfrauen

---

1   Der Köterberg, an der Grenze des Paderbornschen und Lippeschen Gebietes war sonst der Götzenberg genannt, weil die Götter der Heiden da angebetet wurden. Er ist immer voll Gold und Schätze, die einen armen Mann wohl reich machen können.

und spannen emsig; der Böse war auch da, aber ohne Macht und unten an den Tisch, vor dem die beiden saßen, festgebunden. Ringsum war in Körben Gold und leuchtende Edelsteine aufgehäuft und die Königstochter sprach zu dem Schäfer, der da stand und die Schätze anlüsterte: „Nimm dir, so viel du willst." Ohne Zaudern griff er hinein und füllte seine Taschen, so viel sie halten konnten und wie er, also reich beladen, wieder hinaus wollte, sprach sie: „Aber vergiss das Beste nicht!" Er meinte nicht anders, als das wären die Schätze und glaubte sich gar wohl versorgt zu haben, aber sie hatte die Springwurzel gemeint. Wie er nun hinaustrat, ohne die Wurzel, die er auf den Tisch gelegt, schlug das Tor mit Getöse hinter ihm zu, hart an die Ferse, doch ohne weiteren Schaden, wiewohl er leicht sein Leben hätte einbüßen können. Die großen Reichtümer brachte er glücklich nach Haus; aber den Eingang konnte er nicht wieder finden.

Hünenspiel

Bei Höxter, zwischen Godelheim und Amelunxen, liegen der Brunsberg und der Wiltberg, auf welchen die Sachsen im Kampf mit Karl dem Großen sollen ihre Burgen gehabt haben. Nach der Sage des Godelheimer Volks wohnten dort ehedem Hünen, die so groß waren, dass sie sich morgens, wenn sie aufstanden, aus ihren Fenstern grüßend die Hände herüber und hinüber reichten. Sie warfen sich auch, als Ballspiel, Kugeln zu und ließen sie hin und her fliegen. Einmal fiel eine solche Kugel mitten ins Tal herab und schlug ein gewaltiges Loch in den Erdboden, das man noch heute sieht. Die Vertiefung heißt die Knäuelwiese.

Die Riesen herrschten dazuland, bis ein mächtiges, kriegerisches Volk kam und mit ihnen stritt. Da gab es eine ungeheure Schlacht, dass das Blut durchs Tal strömte und die Weser rot färbte; alle Hünen wurden erschlagen, ihre Burgen erobert, und das neu angekommene Volk schaltete von nun an in der Gegend.

Nach einer andern Erzählung sandte der Riese von Brunsberg dem von Wiltberg täglich einen Brief, der in ein großes Knäuel Garn gewunden, und so warfen sie es hinüber und herüber. Eines Tages fiel das Knäuel im Lauh, einem Holz unter dem Braunberge, nieder und da ist ein großer Teich geworden, wo lauter weiße Lilien aufwachsen und wo noch zu dieser Stunde alle Jahr am Ostermontag die weiße Frau kommt und sich wäscht.

Das Riesenspielzeug

Im Elsass auf der Burg Niedeck, die an einem hohen Berg bei einem Wasserfall liegt, waren die Ritter vorzeiten große Riesen. Einmal ging das Riesenfräulein herab ins Tal, wollte sehen, wie es da unten wäre und kam bis fast nach Haslach auf ein vor dem Wald gelegenes Ackerfeld, das gerade von den Bauern bestellt ward. Es blieb vor Verwunderung stehen und schaute den Pflug, die Pferde und Leute an, das ihr alles etwas Neues war. „Ei", sprach sie und ging herzu, „das nehm ich mir mit." Da kniete sie nieder zur Erde, breitete ihre Schürze aus, strich mit der Hand über das Feld, fing alles zusammen und tat's hinein. Nun lief sie ganz vergnügt nach Haus, den Felsen hinaufspringend und wo der Berg so jäh ist, dass ein Mensch mühsam klettern muss, da tat sie einen Schritt und war droben.

Der Ritter saß gerad' am Tisch, als sie eintrat. „Ei, mein Kind", sprach er, „was bringst du da, die Freude schaut dir ja aus den Augen heraus." Sie machte geschwind ihre Schürze auf und ließ ihn hineinblicken. „Was hast du so Zappeliges darin?" „Ei, Vater, gar zu artiges Spielding! So was Schönes hab' ich mein Lebtag noch nicht gehabt." Darauf nahm sie eins nach dem andern heraus und stellte es auf den Tisch: den Pflug, die Bauern mit ihren Pferden; lief herum, schaute es an, lachte und schlug vor Freude in die Hände, wie sich das kleine Wesen darauf hin und her bewegte. Der Vater aber sprach: „Kind, das ist kein Spielzeug, da hast du was Schönes angestiftet! Geh nur gleich und trag's wieder hinab ins Tal." Das Fräulein weinte, es half aber nichts. „Mir

15

ist der Bauer kein Spielzeug", sagte der Ritter ernsthaft, „ich leid's nicht, dass du mir murrst, kram alles sachte wieder ein und trag's an den nämlichen Platz, wo du's genommen hast. Baut der Bauer nicht sein Ackerfeld, so haben wir Riesen auf unserm Felsennest nichts zu leben."

Friedrich Rotbart auf dem Kyffhäuser

Von diesem Kaiser sind viele Sagen im Schwange. Er soll noch nicht tot sein, sondern bis zum jüngsten Tage leben, auch kein rechter Kaiser nach ihm mehr aufkommen. Bis dahin sitzt er in dem Berg Kyffhausen und wann er hervorkommt, wird er seinen Schild hängen an einen dürren Baum, davon wird der Baum grünen und eine bessere Zeit werden. Zuweilen redet er mit den Leuten, die in den Berg kommen, zuweilen lässt er sich auswärts sehen. Gewöhnlich sitzt er an der Bank an dem runden steinernen Tisch, hält den Kopf in der Hand und schläft, mit dem Haupt nickt er stetig und zwinkert mit den Augen. Der Bart ist ihm groß gewachsen, nach einigen durch den steinernen Tisch, nach andern um den Tisch herum, dergestalt, dass er dreimal um die Rundung reichen muss, bis zu seinem Aufwachen, jetzt aber geht er erst zweimal darum.

Ein Bauer, der 1669 aus dem Dorf Reblingen Korn nach Nordhausen fahren wollte, wurde von einem kleinen Männchen in den Berg geführt, musste sein Korn ausschütten und sich dafür die Säcke mit Gold füllen. Dieser sah nun den Kaiser sitzen, aber ganz unbeweglich.

Auch einen Schäfer, der einstmals ein Lied gepfiffen, das dem Kaiser wohl gefallen, führte ein Zwerg hinein, da stand der Kaiser auf und fragte: „Fliegen die Raben noch um den Berg?" Und auf die Bejahung des Schäfers rief er: „Nun muss ich noch hundert Jahre länger schlafen."

Der Scherfenberger und der Zwerg

Mainhard, Graf von Tirol, der auf Befehl des Kaisers Rudolf von Habsburg Steier und Kärnten erobert hatte und zum Herzoge von Kärnten ernannt war, lebte mit dem Grafen Ulrich von Heunburg in Fehde. Zu diesem schlug sich auch Wilhelm von Scherfenberg, treulos und undankbar gegen Mainhard. Hernach in dem Kampfe ward er vermisst und Conrad von Aufenstein, der für Mainhard gestritten hatte, suchte ihn auf.

Sie fanden aber den Scherfenberger im Sande liegen von einem Speer durchstochen und hatte er da sieben Wunden. Der Aufensteiner fragte ihn, ob er der Herr Wilhelm wäre. „Ja, und seid Ihr der Aufensteiner, so bücket Euch hernieder zu mir." Da sprach der Scherfenberger mit krankem Munde: „Nehmt dieses Ringelein; derweil es in Eurer Gewalt ist, zerrinnet Euch Reichtum und weltliche Ehre nimmermehr"; damit reichte er es ihm von der Hand. Indem kam auch Heinrich der Told geritten und hörte, dass es der Scherfenberger war, der da lag. „So ist es der", sprach er, „welcher seine Treue an meinem Herrn gebrochen, das rächt nun Gott an ihm in dieser Stund." Ein Knecht musste den Todwunden auf ein Pferd legen, aber er starb darauf. Da ließ ihn der Told wieder herab legen, wo er vorher gelegen hatte. Danach ward der Scherfenberger beklagt von Männern und Weibern; mit dem Ring aber, den er dem Aufensteiner gegeben, war es auf folgende Weise zugegangen.

Eines Tages sah der Scherfenberger von seiner Burg auf dem Feld eine seltsame Augenweide. Auf vier langen vergüldeten Stangen trugen vier Zwerge einen Himmel von klarem und edlem Tuche. Darunter ritt ein Zwerg, eine goldne Krone auf dem Häuptlein, und in allen Gebärden ein König. Sattel und Zaum des Pferdes waren mit Gold beschlagen, Edelsteine lagen darin und so war auch alles Gewand beschaffen. Der Scherfenberger stand und sah es an, endlich ritt er hin und nahm seinen Hut ab. Der Zwerg bot ihm guten Morgen und sprach: „Wilhelm, Gott grüß Euch!" „Woher kennt Ihr mich?", antwortete der Scherfenberger. „Lass dir nicht leid sein", sprach der Zwerg, „dass du mir bekannt bist und ich deinen Namen nenne; ich suche deine Mannheit und deine Treue, von der mir so viel gesagt ist. Ein gewaltiger König ist mein Genosse um ein großes Land, darum führen wir Krieg und er will mir's mit List abgewinnen. Über sechs Wochen ist ein Kampf zwischen uns abgesprochen, mein Feind aber ist mir zu groß, da haben alle meine Freunde mir geraten, dich zu gewinnen. Willst du dich des Kampfes unterziehen, so will ich dich also stark machen, dass, ob er einen Riesen brächte, dir's doch gelingen soll. Wisse, guter Held, ich bewehre dich mit einem Gürtel, der dir zwanzig Männer Stärke gibt." Der Scherfenberger antwortete: „Weil du mir so wohl traust und auf meine Mannheit dich verlässt, so will ich zu deinem Dienste sein, wie es auch mit mir gehen wird, es soll alles gewagt werden." Der Zwerg sprach: „Fürchte dich nicht, Herr Wilhelm, als wäre ich ungeheuer, nein, mir wohnt christlicher Glaube bei." Darüber ward der Scherfenberger froh und versprach, wo nicht Tod oder Krankheit ihn abhalte, dass er zu rechter Stunde kommen wollte. „So kommt mit Ross, Rüstung und einem Knaben an diese Stätte hier, sagt aber niemandem etwas davon, auch Eurem Weibe nicht, sonst ist das Ding verloren." Da beschwor der Scherfenberger alles. „Sieh hin", sprach nun der Zwerg, „dies Ringelein soll unserer Rede Zeuge sein;

du sollst es mit Freuden besitzen, denn lebtest du tausend Jahre, so lang du es hast, zerrinnet dir dein Gut nimmermehr. Darum sei hohen Mutes und halt deine Treue an mir." Damit ging es über die Heide und der Scherfenberger sah ihm nach, bis es in den Berg verschwand.

Als er nach Haus kam, war das Essen bereit und jedermann fragte, wo er gewesen wäre, er aber sagte nichts, doch konnt er von Stund an nicht mehr so fröhlich sein wie sonst. Er ließ sein Ross besorgen, sein Panzerhemd ausbessern, schickte nach dem Beichtiger, tat heimlich lautere Beichte und nahm danach mit Andacht des Herrn Leib. Die Frau suchte von dem Beichtiger die Wahrheit zu erfahren, aber der wies sie ernstlich ab. Da schickte sie vier ihrer besten Freunde, die führten den Priester in eine Kammer, setzten ihm das Messer an die Kehle und drohten ihm auf den Tod, bis er sagte, was er gehört hatte.

Als die Frau es nun erfahren, ließ sie die nächsten Freunde des Scherfenbergers kommen, die mussten ihn heimlich um seinen Vorsatz fragen. Als er aber nichts entdecken wollte, sagten sie ihm ins Gesicht, dass sie alles wüssten, und als er es an ihren Reden sah, da bekannte er erst die Wahrheit. Nun begannen sie seinen Vorsatz zu schwächen und baten ihn höchlich, dass er von der Fahrt ablasse. Er aber wollt seine Treue nicht brechen und sprach, wo er das tue, nehme er fürder an allem Gut ab. Sein Weib aber tröstete ihn und ließ nicht nach, bis sie ihn mit großer Bitte überredete, da zu bleiben; doch war er unfroh.

Darauf über ein halbes Jahr ritt er eines Tages zu seiner Feste Landstrotz hinter den Seinigen zu allerletzt. Da kam der Zwerg zu ihm und sprach: „Wer Eure Mannheit rühmt, der hat gelogen! Wie habt Ihr mich hintergangen und verraten! Auch sollt Ihr wissen, dass Ihr in Zukunft sieglos seid und wäre das gute Ringlein nicht, das ich Euch leider gegeben habe, Ihr müsstet mit Weib und Kind in Armut leben." Da griff der Zwerg ihm an die Hand und wollt's ihm abreißen, aber der Scherfenberger zog die Hand zurück und steckte sie in die Brust; dann ritt er von ihm über das Feld fort. Die vor ihm waren, die hatten alle nichts gesehen.

Des kleinen Volks Hochzeitfest

Das kleine Volk auf der Eilenburg in Sachsen wollte einmal Hochzeit halten und zog daher in der Nacht durch das Schlüsselloch und die Fensterritzen in den Saal und sie sprangen hinab auf den glatten Fußboden, wie Erbsen auf die Tenne geschüttet werden. Davon erwachte der alte Graf, der im hohen Himmelbett in dem Saal schlief und verwunderte sich über die vielen kleinen Gesellen. Da trat einer von ihnen, geschmückt wie ein Herold, zu ihm heran und lud ihn in geziemenden Worten gar höflich ein, an ihrem Fest teilzunehmen. „Doch um eins bitten wir", setzte er hinzu, „Ihr allein sollt zugegen sein, keins von Euerm Hofgesinde darf sich unterstehen, das Fest mit anzuschauen, auch nicht mit einem einzigen Blick." Der alte Graf antwortete freundlich: „Weil ihr mich im Schlaf gestört, so will ich auch mit euch sein." Nun ward ihm ein kleines Weiblein zugeführt, kleine Lampenträger stellten sich auf und eine Heimchenmusik hob an. Der Graf hatte Mühe das Weiblein beim Tanz nicht zu verlieren, das ihm so leicht daher sprang und endlich so im Wirbel umdrehte, dass er kaum zu Atem kommen konnte. Mitten in dem lustigen Tanz aber stand auf einmal alles still, die Musik hörte auf und der ganze Haufe eilte nach den Türspalten, Mauselöchern und wo sonst ein Schlupfloch war. Das Brautpaar aber, die Herolde und Tänzer schauten aufwärts nach einer Öffnung die sich oben in der Decke des Saals befand und entdeckten dort das Gesicht der alten Gräfin, welche vorwitzig nach der lustigen Wirtschaft herabschaute. Darauf

neigten sie sich vor dem Grafen und derselbe, der ihn ein-
geladen, trat wieder hervor und dankte ihm für die erzeigte
Gastfreundschaft. „Weil aber", sagte er dann, „unsere
Freude und unsere Hochzeit also ist gestört worden, dass
noch ein anderes menschliches Auge darauf geblickt, so
soll fortan euer Geschlecht nie mehr als sieben Eilenburgs
zählen." Darauf drängten sie nach einander schnell hinaus;
bald war es still und der alte Graf wieder allein im finstern
Saal. Die Verwünschung ist bis auf die gegenwärtige Zeit
eingetroffen und immer einer von den sechs lebenden Rittern von Eilenburg gestorben, ehe der siebente geboren
war.

Der einkehrende Zwerg

Vom Dörflein Ralligen am Thuner See und von Schillingsdorf, einem durch Bergfall verschütteten Ort des Grindelwaldtals wird erzählt: Bei Sturm und Regen kam ein wandernder Zwerg durch das Dörflein, ging von Hütte zu Hütte und pochte regentriefend an die Türen der Leute, aber niemand erbarmte sich und wollte ihm öffnen, ja sie höhnten ihn noch aus dazu. Am Rande des Dorfes wohnten zwei fromme Armen, Mann und Frau, da schlich das Zwerglein müd und matt an seinem Stab einher, klopfte dreimal bescheidentlich ans Fensterchen, der alte Hirt tat ihm sogleich auf und bot gern und willig dem Gaste das Wenige dar, was sein Haus vermochte. Die alte Frau trug Brot auf, Milch und Käs, ein paar Tropfen Milch schlürfte das Zwerglein und aß Brosamen von Brot und Käse. „Ich bin's eben nicht gewohnt", sprach es, „so derbe Kost zu speisen, aber ich dank euch von Herzen und Gott lohn's; nun ich geruht habe, will ich meinen Fuß weitersetzen." „Ei, bewahre", rief die Frau, „in der Nacht in das Wetter hinaus, nehmt doch mit einem Bettlein vorlieb." Aber das Zwerglein schüttelte und lächelte: „Droben auf der Felswand hab ich allerhand zu schaffen und darf nicht länger ausbleiben, morgen sollt ihr mein schon gedenken." Damit nahm's Abschied und die Alten legten sich zur Ruhe. Der anbrechende Tag aber weckte sie mit Unwetter und Sturm, Blitze fuhren am roten Himmel und Ströme Wassers ergossen sich. Da riss oben am Joch der Felswand ein gewaltiger Fels los und rollte zum Dorf herunter, mitsamt Bäumen, Steinen und Erde.

Menschen und Vieh, alles was Atem hatte im Dorf, wurden begraben, schon war die Woge gedrungen bis an die Hütte der beiden Alten; zitternd und bebend traten sie vor ihre Türe hinaus. Da sahen sie mitten im Strom ein großes Felsenstück nahen, oben drauf hüpfte lustig das Zwerglein, als wenn es ritte, ruderte mit einem mächtigen Fichtenstamm und der Fels staute das Wasser und wehrte es von er Hütte ab, dass sie unverletzt stand und die Hausleute außer Gefahr kamen. Aber das Zwerglein schwoll immer größer und höher, ward zu einem ungeheuren Riesen und zerfloss in der Luft, während jene auf gebogenen Knien beteten und Gott für ihre Errettung dankten.

Das ertrunkene Kind

Man pflegt vielerlei von den Wassern zu erzählen, und dass der See oder der Fluss alle Jahre ein unschuldiges Kind haben müsse; aber er leide keinen toten Leichnam und werfe ihn früh oder spät ans Ufer aus, ja sogar das letzte Knöchelchen, wenn es zugrunde gesunken sei, müsse wieder hervor. Einmal war einer Mutter ihr Kind im See ertrunken, sie rief Gott und seine Heiligen an, ihr nur wenigstens die Gebeine zum Begräbnis zu gönnen. Der nächste Sturm brachte den Schädel, der folgende den Rumpf ans Ufer, und nachdem alles beisammen war, fasste die Mutter sämtliche Beinlein in ein Tuch und trug sie zur Kirche. Aber, o Wunder! als sie in die Kirche trat, wurde das Bündel immer schwerer, und endlich, als sie es auf die Stufen des Altars legte, fing das Kind zu schreien an und machte sich zu jedermanns Erstaunen aus dem Tuche los. Nur fehlte ein Knöchelchen des kleinen Fingers an der rechten Hand, welches aber die Mutter nachher noch sorgfältig aufsuchte und fand. Dies Knöchelchen wurde in der Kirche unter andern Reliquien zum Gedächtnis aufgehoben.

Der Kobold in der Mühle

Es machten einmal zwei Studenten von Rinteln eine Fußreise. Sie gedachten in einem Dorfe zu übernachten, weil aber ein heftiger Regen fiel und die Finsternis so sehr überhandnahm, dass sie nicht weiter konnten, gingen sie zu einer in der Nähe liegenden Mühle, klopften und baten um Nachtherberge. Der Müller wollte anfangs nicht hören, endlich gab er ihren inständigen Bitten nach, öffnete die Türe und führte sie in eine Stube. Sie waren beide hungrig und durstig, und da auf dem Tisch eine Schüssel mit Speise und eine Kanne mit Bier stand, baten sie den Müller darum und waren bereitwillig, es zu bezahlen. Der Müller aber schlug's ab, selbst nicht ein Stück Brot wollt er ihnen geben und nur die harte Bank zum Ruhebett vergönnen. „Die Speise und der Trank", sprach er, „gehört dem Hausgeist, ist euch das Leben lieb, so lasst beides unberührt, so habt ihr kein Leid zu befürchten, lärmt's in der Nacht vielleicht, so bleibt nur still liegen und schlafen." Mit diesen Worten ging er hinaus und schloss die Türe hinter sich zu.

Die zwei Studenten legten sich zum Schlafe nieder, aber etwa nach einer Stunde griff den einen der Hunger so übermächtig an, dass er sich aufrichtete und die Schüssel suchte. Der andere, ein Magister, warnte ihn, er sollte dem Teufel lassen, was dem Teufel gewidmet wäre, aber er antwortete: „Ich habe ein besser Recht dazu als der Teufel", setzte sich an den Tisch und aß nach Herzenslust, sodass wenig an dem Gemüse übrig blieb. Danach fasste er die Bierkanne, tat einen guten, pommerschen Zug und nachdem er also seine Begierde etwas gestillt, legte er sich wieder zu seinem Gesellen. Doch als ihn über eine Weile der Durst aufs neue plagte, stand er noch einmal auf und tat einen zweiten so herzhaften Zug, dass er dem Hausgeist nur die Neige hinterließ. Nachdem er sich's also selbst gesegnet und wohl bekommen geheißen, legte er sich und schlief ein.

Es blieb alles ruhig bis zu Mitternacht, aber kaum war die herum, so kam der Kobold mit großem Lärm hereingefahren, wovon beide mit Schrecken erwachten. Er brauste ein paarmal in der Stube auf und ab, dann setzte er sich, als wollte er seine Mahlzeit halten, zu dem Tisch und sie hörten deutlich, wie er die Schüssel herbeirückte. Gleich darauf setzte er sie, als wär er ärgerlich, hart nieder, ergriff die Kanne und drückte den Deckel auf, ließ ihn aber gleich wieder ungestüm zuklappen. Nun begann er seine Arbeit, wischte den Tisch, danach die Tischfüße sorgfältig ab und kehrte dann, wie mit einem Besen, den Boden fleißig ab. Als das geschehen war, ging er noch einmal zur Schüssel und Kanne zurück, ob es jetzt vielleicht besser damit stehe, stieß aber beides wieder zornig hin. Darauf fuhr er in seiner Arbeit fort, kam zu den Bänken, wusch, scheuerte, rieb sie, unten und oben: als er zu der Stelle gelangte, wo die beiden Studenten lagen, zog er vorüber und nahm das übrige Stück unter ihren Füßen in die Arbeit. Wie er zu Ende war, fing er an der Bank oben zum zweiten Mal an und überging auch zum zweiten Mal die beiden Gäste. Zum dritten Mal aber, als er an sie kam, strich er dem einen, der nichts genossen hatte, über die Haare und den ganzen Leib, ohne ihm im geringsten weh zu tun. Den andern aber packte er an den Füßen, riss ihn von der Bank herab, zog ihn ein paarmal auf dem Erdboden herum, bis er ihn endlich liegen ließ und hinter den Ofen lief, wo er ihn laut auslachte. Der Student kroch zu der Bank zurück, aber nach einer Viertelstunde begann der Kobold seine Arbeit von neuem: kehrte, säuberte, wischte. Die beiden lagen da, in Angst zitternd, den einen fühlte er, als er an ihn kam, ganz lind an, aber den andern warf er wieder zur Eiche und ließ hinter dem Ofen ein grobes und spottendes Lachen hören.

Die Studenten wollten nun nicht mehr auf der Bank liegen, standen auf und erhuben vor der verschlossenen Türe ein lautes Geschrei, aber es hörte niemand darauf. Sie beschlossen endlich sich auf den platten Boden hart nebeneinander zu legen, aber der Kobold ließ sie nicht ruhen. Er begann sein Spiel zum dritten Mal, kam und zog den Schuldigen herum und lachte ihn aus. Dieser war zuletzt wütend geworden, zog seinen Degen, stach und hieb in die Ecke, wo das Gelächter her schallte, und forderte den Kobold mit Drohworten auf hervorzukommen. Dann setzte er sich mit seiner Waffe auf die Bank, zu erwarten, was weiter geschehen würde, aber der Lärm hörte auf und alles blieb ruhig.

Der Müller verwies ihnen am Morgen, dass sie seiner Ermahnung nicht nachgekommen und die Speise nicht unangerührt gelassen; es hätte ihnen leicht das Leben kosten können.

Blümelisalp

Mehr als eine Gegend der Schweiz erzählt die Sage von einer jetzt in Eis und Felstrümmern überschütteten, vor alten Zeiten aber beblümten, herrlichen und fruchtbaren Alpe. Zumal im Berner Oberland wird sie von den Klariden, einem Gebirge, berichtet:

Ehemals war hier die Alpweide reichlich und herrlich, das Vieh gedieh über alle Maßen, jede Kuh wurde des Tages dreimal gemolken und jedes Mal gab sie zwei Eimer Milch, den Eimer von dritthalb Maß. Dazumal lebte am Berg ein reicher, wohlhabender Hirte, und hob an, stolz zu werden und die alte einfache Sitte des Landes zu verhöhnen. Seine Hütte ließ er sich stattlicher einrichten und im Übermut baute er eine Treppe ins Haus aus seinen Käsen und die Käse legte er aus mit Butter und wusch die Tritte sauber mit Milch. Über diese Treppe gingen Kathrine, seine Frau, und Brändel, seine Kuh, und Rhyn, sein Hund, aus und ein.

Seine fromme Mutter wusste aber nichts von dem Frevel und eines Sonntags im Sommer wollte sie die Senne ihres Sohnes besuchen. Vom Weg ermüdet ruhte sie oben aus und bat um einen Labetrunk. Da verleitete Kathrine den Hirten, dass er ein Milchfass nahm, saure Milch hineintat und Sand darauf streute, das reichte er seiner Mutter. Die Mutter aber erstaunt über die ruchlose Tat, ging rasch den Berg hinab und unten wandte sie sich, stand still und verfluchte die Gottlosen, dass sie Gott strafen möchte.

Plötzlich erhob sich ein Sturm und ein Gewitter verheerte die gesegneten Fluren. Senne und Hütte wurden verschüttet, Menschen und Tiere verdarben. Des Hirten Geist, samt seinem Hausgesinde, sind verdammt, solange bis sie wieder erlöst worden, auf dem Gebirge umzugehen, „ich und mein Hund Rhyn, und mi Kuh Brandli und mine Kathry, müssen ewig uf Klaride syn!" Die Erlösung hängt aber daran, dass ein Senner auf Karfreitag die Kuh, deren Euter Dornen umgeben, stillschweigend ausmelke. Weil aber die Kuh, der stechenden Dornen wegen wild ist und nicht still hält, so ist das eine schwere Sache. Einmal hatte einer schon den halben Eimer vollgemolken, als ihm plötzlich ein Mann auf die Schulter klopfte und fragte: „Schäumt's auch wacker?" Der Melker aber vergaß sich und antwortete: „O ja!", da war alles vorbei und Brändel, die Kuh, verschwand aus seinen Augen.

Das Dorf am Meer

Eine Heilige ging am Strand, sah nur zum Himmel und betete, da kamen die Bewohner des Dorfs Sonntags Nachmittag, ein jeder geputzt in seidenen Kleidern, seine Frau am Arm, und spotteten ihrer Frömmigkeit. Sie achtete nicht darauf und bat Gott, dass er ihnen diese Sünde nicht anrechnen wolle. Am andern Morgen aber kamen zwei Ochsen und wühlten mit ihren Hörnern in einem nahegelegenen großen Sandberg, bis es Abend war; und in der Nacht kam ein mächtiger Sturmwind und wehte den ganzen aufgelockerten Sandberg über das Dorf hin, so dass es ganz zugedeckt wurde und alles darin, was Atem hatte, verdarb. Wenn die Leute aus den benachbarten Dörfern herbeikamen und das verschüttete aufgraben wollten, so war immer, was sie tagsüber gearbeitet, nachts wieder zugeweht. Das dauert bis auf den heutigen Tag.

Die verschütteten Silbergruben

Die reichsten Silberbergwerke am Harz waren die schon seit langen Jahren eingegangenen beiden Gruben: der Große Johann und der Goldene Altar bei Andreasberg. Davon geht folgende Sage. Vorzeiten, als die Gruben noch bebaut wurden, war ein Steiger darüber gesetzt, der hatte einmal, als der Gewinn groß war, ein paar reiche Stufen beiseitegelegt, um, wenn der Bau schlechter und ärmer sein würde, damit das Fehlende zu ersetzen und immer gleichen Gewinn hervorzubringen. Was er also in guter Absicht getan, das ward von andern, die es bemerkt hatten, als ein Verbrechen angeklagt, und er zum Tode verurteilt. Als er nun niederkniete und ihm das Haupt sollte abgeschlagen werden, da beteuerte und beschwur er nochmals seine Unschuld und sprach: „So gewiss bin ich unschuldig, als mein Blut sich in Milch verwandeln und der Bau der Grube aufhören wird; wann in dem gräflichen Haus, dem diese beiden Bergwerke zugehören, ein Sohn geboren wird mit Glasaugen und mit Rehfüßen, und er bleibt am Leben, so wird der Bau wieder beginnen, stirbt er aber nach seiner Geburt, so bleiben sie auf ewig verschüttet." Als der Scharfrichter den Hieb getan und das Haupt herabfiel, da sprangen zwei Milchströme statt des Bluts schneeweiß aus dem Rumpf in die Höhe und bezeugten seine Unschuld. Auch die beiden Gruben gingen alsbald ein. Nicht lange nachher ward ein junger Graf mit Glasaugen und Rehfüßen geboren, aber er starb gleich nach der Geburt und die Silberbergwerke sind nicht wieder aufgetan, sondern bis auf diesen Tag verschüttet.

Der Glockenguss zu Breslau

Als die Glocke zu St. Maria Magdalena in Breslau gegossen werden sollte und alles dazu fast fertig war, ging der Gießer zuvor zum Essen, verbot aber dem Lehrjungen bei Leib und Leben, den Hahn am Schmelzkessel anzurühren. Der Lehrjunge aber war vorwitzig und neugierig, wie das glühende Metall doch aussehen möge und indem er so den Kran bewegte und anregte, fuhr er ihm wider Willen ganz heraus und das Metall rann und rann in die zubereitete Form. Höchst bestürzt weiß sich der arme Junge gar nicht zu helfen, endlich wagt er's doch und geht weinend in die Stube und bekennt seinem Meister, den er um Gottes willen um Verzeihung bittet. Der Meister aber wird vom Zorn ergriffen, zieht das Schwert und ersticht den Jungen auf der Stelle. Dann eilt er hinaus, will sehen, was noch vom Werk zu retten sei, und räumt nach der Verkühlung ab. Als er abgeräumt hatte, siehe, so war die Glocke trefflich wohl ausgegossen und ohne Fehl; voll Freuden kehrte der Meister in die Stube zurück und sah nun erst, was für Übels er getan hatte. Der Lehrjunge war verblichen, der Meister wurde eingezogen und von den Richtern zum Schwert verurteilt. Unterdes war auch die Glocke aufgezogen worden, da bat der Glockengießer flehentlich: ob sie nicht noch geläutet werden dürfte, er möchte ihren Ton auch wohl hören, da er sie doch zugerichtet hätte, wenn er die Ehre vor seinem letzten Ende von den Herren haben könnte. Die Obrigkeit ließ ihm willfahren und seit dieser Zeit wird mit dieser Glocke allen armen Sündern, wenn sie vom Rathaus herunterkommen, geläutet. Die Glocke ist so schwer, dass wenn man fünfzig Schläge gezogen hat, sie andere fünfzig von selbst gehet.

Johann Hübner

Auf dem Geißenberge in Westfalen stehen noch die Mauern von einer Burg, da vor alters Räuber gewohnt. Sie gingen nachts ins Land umher, stahlen den Leuten das Vieh und trieben es dort in den Hof, wo ein großer Stall war und danach verkauften sie's weit weg an fremde Leute. Der letzte Räuber, der hier gewohnt hat, hieß Johann Hübner. Er hatte eiserne Kleider an und war stärker als alle anderen Männer im ganzen Land. Er hatte nur ein Auge und einen großen krausen Bart und Haare. Am Tage saß er mit seinen Knechten in einer Ecke, wo man noch das zerbrochene Fenster sieht, da tranken sie zusammen. Johann Hübner sah mit dem einen Auge sehr weit durchs ganze Land umher; wenn er dann einen Reiter sah, da rief er: „Heloh! da reitet ein Reiter! Ein schönes Ross! Heloh!" Dann zogen sie hinaus, gaben Acht, wann er kam, nahmen ihm das Ross und schlugen ihn tot. Nun war ein Fürst von Dillenburg, der schwarze Christian genannt, ein sehr starker Mann, der hörte viel von den Räubereien des Johann Hübner, denn die Bauern kamen immer und klagten über ihn. Dieser schwarze Christian hatte einen klugen Knecht, der hieß Hanns Flick, den schickte er über Land, dem Johann Hübner aufzupassen. Der Fürst aber lag hinten im Giller und hielt sich da mit seinen Reitern verborgen, dahin brachten ihm auch die Bauern Brot und Butter und Käse. Hanns Flick aber kannte den Johann Hübner nicht, streifte im Land umher und fragte ihn aus. Endlich kam er an eine Schmiede, wo Pferde beschlagen wurden, da stunden viele Wagenräder an der Wand, die auch beschlagen werden sollten. Auf dieselben hatte sich ein Mann mit dem Rücken gelehnt, der hatte nur ein Auge und ein eisernes Wams an. Hanns Flick ging zu ihm und sagte: „Gott grüß dich, eiserner Wamsmann mit einem Ange! Heißest du nicht Johann Hübner vom Geißenberg?" Der Mann antwortete: „Johann Hübner vom Geißenberg liegt auf dem Rad." Hanns Flick glaubte nun, dass damit das Rad auf dem Gerichtsplatz gemeint sei und sagte: „War das kürzlich?" „Ja", sprach der Mann, „erst heut." Hanns Flick glaubte doch nicht recht und blieb bei der Schmiede und gab auf den Mann Acht, der auf dem Rade lag. Der Mann sagte dem Schmied ins Ohr, er sollte ihm sein Pferd verkehrt beschlagen, so dass das vorderste Ende des Hufeisens hinten käme. Der Schmied tat es und Johann Hübner ritt weg. Wie er aufsaß, sagte er dem Hanns Flick: „Gott grüß dich, braver Kerl, sage deinem Herrn er solle mir Fäuste schicken, aber keine Leute, die hinter den Ohren noch nicht trocken sind." Hanns Flick blieb stehen und sah, wo er übers Feld in den Wald ritt, lief ihm nach, um zu sehen, wo er bliebe. Er wollte seiner Spur nachgehen, aber Johann Hübner ritt hin und her, die Kreuz und Quer und Hanns Flick wurde bald in den Fußtapfen des Pferdes irre, denn wo jener hingeritten war, da gingen die Fußtapfen zurück. Also verlor er ihn bald aus den Augen und wusste nicht, wo er geblieben war. Endlich aber ertappte er ihn doch, wie er nachts bei Mondenschein mit seinen Knechten auf der Heide im Wald lag und das geraubte Vieh hütete. Da eilte er und sagte es dem Fürsten Christian, der ritt in der Stille mit seinen Leuten unten durch den Wald und sie hatten den Pferden Moos unter die Füße gebunden. So kamen sie nah herbei, sprangen auf ihn zu und kämpften miteinander. Der schwarze Christian und Johann Hübner schlugen sich auf die eisernen Hüte und Wämser, dass es klang, endlich aber blieb Johann Hübner tot und der Fürst zog in das Schloss auf dem Geißenberg. Den Johann Hübner begraben sie in einer Ecke, der Fürst legte viel Holz um den großen Turm und sie untergruben ihn auch. Am Abend, als im Dorfe die Kühe gemolken wurden, fiel der Turm um und das ganze Land zitterte von dem Fall. Man sieht noch die Steine den Berg hinunter liegen. Der Johann Hübner erscheint oft um Mitternacht, mit seinem einen Auge sitzt er auf einem schwarzen Pferd und reitet um den Wall herum.

Der heilige Niclas und der Dieb

Zu Greifswald in Pommern stand in der Gertrudenkapelle St. Niclasen Bild. Eines Nachts brach ein Dieb ein, wollte den Gotteskasten berauben und rief den Heiligen an: „O heiliger' Niclas, ist das Geld mein oder dein? Komm, lass uns wettlaufen darum, wer zuerst zum Gotteskasten kommt, soll gewonnen haben." Hub damit zu laufen an, aber das Bild lief auch und überlief den Dieb zum dritten Mal; der antwortete und sprach: „Mein heiliger Niclas, du hast's redlicher gewonnen, aber das Geld ist dir doch nichts nutz, bist von Holz und bedarfst keines; ich will's nehmen und guten Mut dabei haben" – Bald darauf geschah es, dass dieser Räuber starb und begraben wurde, da kamen die Teufel aus der Hölle, holten den Leib aus dem Grab, hangen ihn vor der Stadt an eine Windmühle auf, und führten ihn auf ihren Flügeln wider den Wind herum. Diese Mühle stand noch im Jahre 1633 und ging immer mit Gegenwind unter den andern umstehenden natürlich getriebenen Mühlen.

Nach andern war es der Verwalter, der das Opfergeld angegriffen, oder wie man sagt, mit dem Marienbild um die Wette gelaufen war.

Wo des Teufels Fuß die Erde berührte, versengte er das frische Gras und trat tiefe Stapfen, die stehen blieben und nie mehr mit Gras bewachsen, bis die ganze Kirche, zu der sonst große Wallfahrten geschahen, samt dem Kirchhof verschüttet und zu Festungswällen verbaut wurde.

Die Zwerge auf dem Baum

Des Sommers kam die Schar der Zwerge häufig herab ins Tal und gesellte sich entweder hilfreich oder doch zuschauend den arbeitenden Menschen zu, namentlich zu den Mähern in der Heuernte. Da setzten sie sich denn wohlvergnügt auf den langen und dicken Ast eines Ahorns ins schattige Laub. Einmal aber kamen boshafte Leute und sägten bei Nacht den Ast durch, dass er bloß noch schwach am Stamm hielt, und als die arglosen Geschöpfe sich am Morgen darauf niederließen, trachte der Ast vollends entzwei, die Zwerge stürzten auf den Grund, wurden ausgelacht, erzürnten sich heftig und schrien:

O wie ist der Himmel hoch und die Untreu' so groß!
Heut hierher und nimmermehr!

Sie hielten Wort und ließen sich im Lande niemals wieder sehen.

Die Füße der Zwerge

Vor alten Zeiten wohnten die Menschen im Tal und rings um sie in Klüften und Höhlen die Zwerge, freundlich und gut mit den Leuten, denen sie manche schwere Arbeit nachts verrichteten; wenn nun das Landvolk früh morgens mit Wagen und Geräten herbeizog und erstaunte, dass alles schon getan war, steckten die Zwerge im Gesträuch und lachten hell auf. Oftmals zürnten die Bauern, wenn sie ihr noch nicht ganz zeitiges Getreide auf dem Acker niedergeschnitten fanden, aber als bald Hagel und Gewitter hereinbrach und sie wohl sahen, dass vielleicht kein Hälmlein dem Verderben entronnen sein würde, da dankten sie innig dem voraussichtigen Zwergvolk. Endlich aber verscherzten die Menschen durch ihren Frevel die Huld und Gunst der Zwerge, sie entflohen und seitdem hat sie kein Auge wieder erblickt. Die Ursache war diese: ein Hirt hatte oben am Berg einen trefflichen Kirschbaum stehen. Als die Früchte eines Sommers reiften, begab sich, dass dreimal hintereinander nachts der Baum geleert wurde und alles Obst auf die Bänke und Hürden getragen war, wo der Hirt sonst die Kirschen aufzubewahren pflegte. Die Leute im Dorfe sprachen: „Das tut niemand anders, als die redlichen Zwerglein, die kommen bei Nacht in langen Mänteln mit bedeckten Füßen daher getrippelt, leise wie die Vögel und schaffen den Menschen emsig ihr Tagwerk. Schon vielmal hat man sie heimlich belauscht, allein man stört sie nicht, sondern lässt sie kommen und gehen." Durch diese Reden wurde der Hirt neugierig und hätte gern gewusst, warum die Zwerge so sorgfältig ihre Füße bergen und ob diese anders gestaltet wären als Menschenfüße. Da nun das nächste Jahr wieder der Sommer und die Zeit kam, dass die Zwerge heimlich die Kirschen abbrechen und in den Speicher trugen, nahm der Hirt einen Sack voll Asche und streute die rings um den Baum herum aus. Den andern Morgen mit Tagesanbruch eilte er zur Stelle hin, der Baum war richtig leer gepflückt, und er sah unten in der Asche die Spuren von vielen Gänsefüßen eingedrückt. Da lachte der Hirt und spottete, dass der Zwerge Geheimnis verraten war. Bald aber zerbrachen und verwüsteten diese ihre Häuser und flohen tiefer in den Berg hinab, grollen dem Menschengeschlecht und versagen ihm ihre Hilfe. Jener Hirt, der sie verraten hatte, wurde siech und blöde fortan bis an sein Lebensende.

Die Heilingszwerge

Am Fluss Eger zwischen dem Hof Wildenau und dem Schlosse Aicha ragen ungeheuer große Felsen hervor, die man vor alters den Heilingsfelsen nannte. Am Fuß derselben erblickt man eine Höhle inwendig gewölbt, auswendig aber nur durch eine kleine Öffnung, in die man den Leib gebückt kriechen muss, erkennbar. Diese Höhle wurde von kleinen Zwerglein bewohnt, über die zuletzt ein unbekannter alter Mann, namens Heiling, als Fürst geherrscht haben soll. Einmal vorzeiten ging ein Weib aus dem Dorfe Taschwitz gebürtig, am Vorabend von Peter Pauli, in den Forst und wollte Beeren suchen; es wurde Nacht und sie sah neben diesem Felsen ein schönes Haus stehen. Sie trat hinein und als sie die Türe öffnete, saß ein alter Mann an einem Tische, schrieb emsig und eifrig. Die Frau bat um Herberge und wurde willig angenommen. Außer dem alten Mann war aber kein lebendes Wesen im ganzen Gemach, allein es rumorte heftig in allen Ecken, der Frau ward gräulich und schauerlich und sie fragte den Alten: „Wo bin ich denn eigentlich?" Der Alte versetzte: „dass er Heiling heiße, bald aber auch abreisen werde, denn zwei Drittel meiner Zwerge sind schon fort und entflohen." Diese sonderbare Antwort machte das Weib nur noch unruhiger und sie wollte mehr fragen, allein er gebot ihr Stillschweigen und sagte nebenbei: „Wäret Ihr nicht gerade in dieser merkwürdigen Stunde gekommen, solltet Ihr nimmer Herberge gefunden haben." Die furchtsame Frau kroch demütig in einen Winkel und schlief sanft ein. Als sie

43

am Morgen mitten unter dem Felsstein erwachte, glaubte sie geträumt zu haben, denn nirgends war ein Gebäude da zu sehen. Froh und zufrieden, dass ihr in der gefährlichen Gegend kein Leid widerfahren sei, eilte sie nach ihrem Dorfe zurück, doch dort war alles so verändert und seltsam. Im Dorf waren die Häuser neu und anders aufgebaut, die Leute, die ihr begegneten, kannte sie nicht und wurde auch nicht von ihnen erkannt. Mit Mühe fand sie endlich die Hütte, wo sie sonst wohnte, und auch die war besser gebaut; nur dieselbe Eiche beschattete sie noch, welche einst ihr Großvater dahin gepflanzt hatte. Aber wie sie in die Stube treten wollte, ward sie von den unbekannten Bewohnern als eine Fremde vor die Türe gewiesen und lief weinend und klagend im Dorfe umher. Die Leute hielten sie für wahnwitzig und führten sie vor die Obrigkeit, wo sie verhört und ihre Sache untersucht wurde; siehe da fand es sich in den Gedenk- und Kirchenbüchern, dass gerade vor hundert Jahren an ebendiesem Tage eine Frau ihres Namens, welche nach dem Forst in die Beeren gegangen, nicht wieder heimgekehrt sei und auch nicht mehr zu finden gewesen war. Es war also deutlich erwiesen, dass sie volle hundert Jahr im Felsen geschlafen hatte und die Zeit über nicht älter geworden war. Sie lebte nun die übrigen Jahre ruhig und sorgenlos, denn sie wurde von der ganzen Gemeinde anständig verpflegt zum Lohn für die Zauberei, die sie hatte erdulden müssen.

Der Abzug des Zwergvolks über die Brücke

Die kleinen Höhlen in den Felsen, welche man auf der Südseite des Harzes, sonderlich in einigen Gegenden der Grafschaft Hohenstein findet, und die größtenteils so niedrig sind, dass erwachsene Menschen nur hineinkriechen können, dann aber einen geräumigen Aufenthaltsort für größere Gesellschaften darbieten, waren einst von Zwergen bewohnt und heißen nach ihnen noch jetzt Zwerglöcher. Zwischen Walkenried und Neuhof in der Grafschaft Hohenstein hatten einst die Zwerge zwei Königreiche. Ein Bewohner jener Gegend merkte einmal, dass seine Feldfrüchte alle Nächte beraubt wurden, ohne dass er den Täter entdecken konnte. Endlich ging er auf den Rat einer weisen Frau bei einbrechender Nacht an seinem Erbsenfelde auf und ab und schlug mit einem dünnen Stabe über dasselbe in die bloße Luft hinein. Es dauerte nicht lange, so standen einige Zwerge leibhaftig vor ihm. Er hatte ihnen die unsichtbar machenden Nebelkappen abgeschlagen. Zitternd fielen die Zwerge vor ihm nieder und bekannten: dass ihr Volk es sei, welches die Felder der Landesbewohner beraubte, wozu aber die äußerste Not sie zwänge. Die Nachricht von den eingefangenen Zwergen brachte die ganze Gegend in Bewegung. Das Zwergvolk sandte endlich Abgeordnete und bot Lösung für sich und die gefangenen Brüder und wollte dann auf immer das Land verlassen. Doch die Art des Abzuges erregte neuen Streit. Die Landeseinwohner wollten die Zwerge nicht mit ihren gesammelten und versteckten Schätzen abziehen lassen und das Zwergvolk wollte bei seinem Abzuge nicht gesehen sein. Endlich kam man dahin überein, dass die Zwerge über eine schmale Brücke bei Neuhof ziehen, und dass jeder von ihnen in ein dorthin gestelltes Gefäß einen bestimmten Teil seines Vermögens, als Abzugszoll werfen sollte, ohne dass einer der Landesbewohner zugegen wäre. Dies geschah. Doch einige Neugierige hatten sich unter die Brücke gesteckt, um den Zug der Zwerge wenigstens zu hören. Und so hörten sie denn viele Stunden lang das Getrappel der kleinen Menschen; es war ihnen, als wenn eine sehr große Herde Schafe über die Brücke ging. – Seit dieser letzten großen Auswanderung des Zwergvolkes lassen sich nur selten einzelne Zwerg sehen.

Rodensteins Auszug

Nah an dem zum gräflich erbachischen Amt Reichenberg gehörigen Dorfe Oberkainsbach, unweit dem Odenwald, liegen auf einem Berge die Trümmer des alten Schlosses Schnellerts; gegenüber eine Stunde davon, in der Rodsteiner Mark, lebten ehemals die Herren von Rabenstein, deren männlicher Stamm erloschen ist. Noch sind die Ruinen ihres alten Raubschlosses zu sehen.

Der letzte Besitzer desselben hat sich besonders durch seine Macht, durch die Menge seiner Knechte und des erlangten Reichtums berühmt gemacht; von ihm geht folgende Sage. Wenn ein Krieg bevorsteht, so zieht er von seinem gewöhnlichen Aufenthaltsort Schnellerts bei grauender Nacht aus, begleitet von seinem Hausgesind und schmetternden Trompeten. Er zieht durch Hecken und Gesträuche, durch Hof und Scheune Simon Daums zu Oberkainsbach bis nach dem Rodenstein, flüchtet gleichsam als wolle er das Seinige in Sicherheit bringen. Man hat das Knarren der Wagen und ein Hohn-Schreien, die Pferde anzutreiben, ja selbst die einzelnen Worte gehört, die dem einher ziehenden Kriegsvolk vom Anführer zugerufen werden und womit ihm befohlen wird. Zeigen sich Hoffnungen zum Frieden, dann kehrt er in gleichem Zuge vom Rodenstein nach dem Schnellerts zurück, doch in ruhiger Stille und man kann dann gewiss sein, dass der Frieden wirklich abgeschlossen wird. Ehe Napoleon im Frühjahr 1815 landete, war bestimmt die Sage, der Rodensteiner sei wieder in die Kriegburg ausgezogen.

Das Teufelsloch zu Goslar

In der Kirchenmauer zu Goslar sieht man einen Spalt und erzählt davon so: Der Bischof von Hildesheim und der Abt von Fulda hatten einmal einen heftigen Rangstreit, jeder wollte in der Kirche neben dem Kaiser sitzen und der Bischof behauptete den ersten Weihnachtstag die Ehrenstelle. Da bestellte der Abt heimlich bewaffnete Männer in die Kirche, die sollten ihn den morgenden Tag mit Gewalt in Besitz seines Rechtes setzen. Dem Bischof wurde das aber verraten und er bestellte sich auch gewappnete Männer hin. Tags drauf erneuerten sie den Rangstreit, erst mit Worten, dann mit der Tat, die gewaffneten Ritter traten hervor und fochten; die Kirche glich einer Walstätte, das Blut floss stromweise zur Kirche hinaus auf den Gottesacker. Drei Tage dauerte der Streit und während des Kampfes stieß der Teufel ein Loch in die Wand und stellte sich den Kämpfern dar. Er entflammte sie zum Zorn und von den gefallenen Helden holte er manche Seele ab. So lang der Kampf währte, blieb der Teufel auch da, hernach verschwand er wieder, als nichts mehr für ihn zu tun war. Man versuchte hernachmals das Loch in der Kirche wieder zuzumauern und das gelang bis auf den letzten Stein; sobald man diesen einsetzte, fiel alles wieder ein und das Loch stand ganz offen da. Man besprach und besprengte es vergebens mit Weihwasser, endlich wandte man sich an den Herzog von Braunschweig und erbat sich dessen Baumeister. Diese Baumeister mauerten eine schwarze Katze mit ein und beim Einsetzen des letzten Steines bedienten sie sich der Worte:

„Willst du nicht sitzen in Gottes Namen, so sitz in Teufels Namen!" Dieses wirkte und der Teufel verhielt sich ruhig, bloß bekam in der folgenden Nacht die Mauer eine Ritze, die noch zu sehen ist bis auf den heutigen Tag.

Nach Aug. Lerchheimer von der Zauberei, sollen der Bischof und der Abt darüber gestritten haben, wer dem Erzbischof von Mainz zunächst sitzen dürfe. Nachdem der Streit gestillet war, habe man in der Messe ausgesungen: *„Hunc diem gloriosum fecisti."*[2] Da fiel der Teufel unterm Gewölb mit grober, lauter Stimme ein und sang: *„Hunc diem bellicosum ego feci."*[3]

---

2   Du hast diesen ruhmreichen Tag gemacht.

3   Und ich habe diesen blutreichen Tag gemacht.

Die Teufelsmühle

Auf dem Gipfel des Rammberges im Haberfeld liegen teils zerstreute, teils geschichtete Granitblöcke,
welche man des Teufels Mühle heißt. Ein Müller hatte
sich am Abhang des Bergs eine Windmühle erbaut, der
es aber zuweilen an Wind fehlte. Da wünschte er sich oft
eine, die oben auf dem Berggipfel stünde und beständig im
Gang bliebe. Menschenhänden war sie aber unmöglich zu
erbauen. Weil der Müller keine Kuh darüber hatte, erschien
ihm der Teufel und sie dingten lange miteinander. Endlich
verschrieb ihm der Müller seine Seele gegen dreißig Jahre
langes Leben und eine tadelfreie Mühle von sechs Gängen,
auf dem Gipfel des Rammberges, die aber in der nächst-
folgenden Nacht vor Hahnschrei fix und fertig gebaut sein
müsste. Der böse feind war das zufrieden und begann
den Bau zur gesetzten Zeit; da aber der Müller aus der
geschwinden Arbeit merkte, dass noch vor dem Ziel alles
vollendet sein könnte, so setzte er den schon fertig dalie-
genden Mühlstein insgeheim auf die runde Seite und ließ
ihn den Berg hinablaufen. Wie das der Teufel sah, dachte er
noch den Stein zu haschen und sprang ihm nach. Allein der
Mühlstein tat einen Satz stärker als den andern, so dass ihm
der Böse nicht folgen konnte, sondern ganz bergab musste,
eh er ihn zu fassen bekam. Nun mühte er sich, ihn schnell
wieder bergan zu wälzen und noch hatte er ihn nicht ganz
oben, als der Hahn krähte und den Vertrag zunichte-
machte. Wütend fasste der böse Feind das Gebäude, riss
Flügel, Räder und Wellen herab und streute sie weit umher.

Dann schleuderte er auch die Felsen, dass sie den Ramm-berg bedeckten. Nur ein kleiner Teil der Grundlage blieb stehen zum Andenken seiner Mühle. Unten am Berge soll noch ein großer Mühlstein liegen.

Der Wolf und der Tannenzapf

Zu Aachen im Dom zeigt man an dem einen Flügel des ehernen Kirchentors einen Spalt und das Bild eines Wolfs nebst einem Tannenzapfen, beide gleichfalls aus Erz gegossen. Die Sage davon lautet: vorzeiten, als man diese Kirche zu bauen angefangen, habe man mitten im Werk einhalten müssen aus Mangel an Geld. Nachdem nun die Trümmer eine Weile so dagestanden, sei der Teufel zu den Ratsherren gekommen, mit dem Erbieten, das benötigte Geld zu geben unter der Bedingung, dass die erste Seele, die bei der Einweihung der Kirche in die Türe hineintrete, sein eigen würde. Der Rat habe lang gezaudert, endlich doch eingewilligt und versprochen, den Inhalt der Bedingung geheim zu halten. Darauf sei mit dem Höllengeld das Gotteshaus herrlich ausgebaut, mittlerweile aber auch das Geheimnis ruchbar geworden. Niemand wollte also die Kirche zuerst betreten und man sann endlich eine List aus. Man fing einen Wolf im Wald, trug ihn zum Haupttor der Kirche und an dem Festtag, als die Glocken zu lauten anhuben, ließ man ihn los und hineinlaufen. Wie ein Sturmwind fuhr der Teufel hinterdrein und erwischte das, was ihm nach dem Vertrag gehörte. Als er aber merkte, dass er betrogen war und man ihm eine bloße Wolfsseele geliefert hatte, erzürnte er und warf das eherne Tor so gewaltig zu, dass der eine Flügel sprang und den Spalt bis auf den heutigen Tag behalten hat. Zum Andenken goss man den Wolf und seine Seele, die dem Tannenzapf ähnlich sein soll. Die Franzosen hatten beide Altertümer nach Paris geschleppt,

1815 wurden sie zurückgegeben und zu beiden Seiten der Türe auf Postamenten wieder hingestellt. Der Wolf aber hat ein Paar Pfoten verloren.

Der Lügenstein

Auf dem Domplatz zu Halberstadt liegt ein runder Fels von ziemlichem Umfang, den das Volk nennet den Lügenstein. Der Vater der Lügen hatte, als der tiefe Grund zu der Domkirche gelegt wurde, große Felsen hinzugetragen, weil er hoffte, hier ein Haus für sein Reich entstehen zu sehen. Als aber das Gebäude aufstieg und er merkte, dass es eine christliche Kirche werden würde, da beschloss er, es wieder zu zerstören. Mit einem ungeheuren Felsstein schwebte er herab, Gerüst und Mauern zu zerschmettern. Allein man besänftigte ihn schnell durch das Versprechen, ein Weinhaus dicht neben der Kirche zu bauen. Da wendete er den Stein, so dass er neben dem Dom auf den geebneten Platz niederfiel. Noch sieht man daran die Höhle, die der glühende Daumen seiner Hand beim Tragen eindrückte.

Das Teufelsbad zu Dassel

Unweit Dassel, in einem grundlosen Meerpfuhl, welcher der bedessische oder bessoische heißt, soll eine schöne und wohlklingende Glocke liegen, die der leibhaftige Teufel aus der Kirche zum Portenhagen dahin geführt hat, und von der die alten Leute viel wunderbare Dinge erzählen. Sie ist von lauterem Golde und der böse Feind brachte sie aus Neid weg, damit sich die Menschen ihrer nicht mehr zum Gottesdienst bedienen können, weil sie besonders kräftig und heilig gewesen. Ein Taucher erbot sich, hinabzufahren und sie mit Stricken zu fassen, dann sollten die Leute oben getrost ziehen und ihrer Glocke wieder mächtig werden. Allein er kam unverrichteter Sache heraus und sagte, dass unten in der Tiefe des Meerpfuhls eine grüne Wiese wäre, wo die Glocke auf einem Tisch stehe und ein schwarzer Hund dabei liege, welcher nicht gestatten wolle, sie anzurühren. Auch habe sich daneben ein Meerweib ganz erschrecklich sehen und hören lassen, die gesagt: es wäre viel zu früh, diese Glocke von dannen zu holen. Ein achtzigjähriger Mann erzählte von diesem Teufelsbad: einen Sonnabend habe ein Bauer aus Leuthorst unfern des Pfuhls länger als Brauch gewesen, nachdem man schon zur Vesper geläutet, gepflügt, und beides Pferde und Jungen mit Fluchen und Schlägen genötigt. Da sei ein großer, schwarzer und starker Gaul aus dem Wasser ans Land gestiegen. Der gottlose und tobende Bauer habe ihn genommen und in Teufels Namen vor die andern Pferde gespannt, in der Meinung, nicht eher Feierabend zu machen, bis der Acker herumgepflügt wäre. Der Junge hub an zu weinen und wollte lieber nach Haus, aber der Bauer fuhr ihn hart an. Da soll der schwarze Gaul frisch und gewaltig die armen ausgemergelten Pferde, mitsamt Pflug Junge und Bauer, in das grundlose Loch und Teufelsbad gezogen haben und nimmermehr von Menschen gesehen worden sein. Wer den Teufel fordert, muss ihm auch Werk schaffen.

Der Dom zu Köln

Als der Bau des Doms zu Köln begann, wollte man gerade auch eine Wasserleitung ausführen. Da vermaß sich der Baumeister und sprach: „Eher soll das große Münster vollendet sein, als der geringe Wasserbau!" Das sprach er, weil er allein wusste, wo zu diesem die Quelle sprang, und er das Geheimnis niemanden, als seiner Frau entdeckt, ihr aber zugleich bei Leib und Leben geboten hatte, es wohl zu bewahren. Der Bau des Domes fing an und hatte guten Fortgang, aber die Wasserleitung konnte nicht angefangen werden, weil der Meister vergeblich die Quelle suchte. Als dessen Frau nun sah wie er sich darüber grämte, versprach sie ihm Hilfe, ging zu der Frau des andern Baumeisters und lockte ihr durch List endlich das Geheimnis heraus, wonach die Quelle gerade unter dem Turm des Münsters sprang; ja, jene bezeichnete selbst den Stein, der sie zudeckte. Nun war ihrem Manne geholfen; folgenden Tags ging er zu dem Stein, klopfte daran und sogleich drang das Wasser hervor. Als der Baumeister sein Geheimnis verraten sah und mit seiner stolzen Versprechung zu schanden werden musste, weil die Wasserleitung ohne Zweifel nun in kurzer Zeit zustande kam, verfluchte er zornig den Bau, dass er nimmermehr sollte vollendet werden, und starb daraus voll Traurigkeit. Nun hatte man fortbauen wollen, doch es war, was an einem Tag zusammengebracht und ausgemauert stand, am andern Morgen eingefallen, und wenn es noch so gut eingefügt war und aufs festeste haftete, also dass von nun an kein einziger Stein mehr hinzugekommen ist.

Andere erzählen abweichend. Der Teufel war neidisch auf das stolze und heilige Werk, das Herr Gerhard, der Baumeister, erfunden und begonnen hatte. Um doch nicht ganz leer dabei auszugehen, oder gar die Vollendung des Domes noch zu verhindern, ging er mit Herrn Gerhard die Wette ein: er wolle eher einen Bach von Trier nach Köln, bis an den Dom, leiten, als Herr Gerhard seinen Bau vollendet habe; doch müsse ihm, wenn er gewänne, des Meisters Seele zugehören. Herr Gerhard war nicht säumig, aber der Teufel kann teufelsschnell arbeiten. Eines Tages stieg der Meister auf den Turm, der schon so hoch war, als er noch heutzutage ist, und das erste, was er von oben herab gewahrte, waren Enten, die schnatternd von dem Bach, den der Teufel hergeleitet hatte, aufflogen. Da sprach der Meister in grimmem Zorn: „Zwar hast du Teufel mich gewonnen, doch sollst du mich nicht lebendig haben!" So sprach er und stürzte sich Hals über Kopf den Turm herunter, in Gestalt eines Hundes sprang schnell der Teufel hintennach, wie beides in Stein gehauen noch wirklich am Turm zu schauen ist. Auch soll, wenn man sich mit dem Ohr auf die Erde legt, noch heute der Bach zu hören sein, wie er unter dem Dorne wegfließt.

Der Teufel als Fürsprecher

In der Mark geschah es, dass ein Landsknecht seinem Wirt Geld aufzuheben gab und als er es wiederforderte, dieser etwas empfangen zu haben ableugnete. Da der Landsknecht darüber mit ihm uneins ward und das Haus stürmte, ließ ihn der Wirt gefänglich einziehen und wollte ihn übertäuben, damit er das Geld behielte. Er klagte daher den Landsknecht zu Haut und Haar, zu Hals und Bauch an, als einen, der ihm seinen Hausfrieden gebrochen hätte. Da kam der Teufel zu ihm ins Gefängnis und sprach: „Morgen wird man dich vor Gericht führen und dir den Kopf abschlagen, weil du den Hausfrieden gebrochen hast, willst du mein sein mit Leib und Seel, so will ich dir davon helfen." Aber der Landsknecht wollte nicht. Da sprach der Teufel: „So tue ihm also: wann du vor Gericht kommst und man dich hart anklagt, so bestehe darauf, dass du dem Wirt das Geld gegeben und sprich, du seiest übel beredt man wolle dir vergönnen einen Fürsprecher zu haben, der dir das Wort rede. Alsdann will ich nicht weit stehen in einem blauen Hut mit weißer Feder und dir deine Sache führen." Dies geschah also; aber da der Wirt hartnäckig leugnete, so sagte des Landsknechts Anwalt im blauen Hut: „Lieber Wirt, wie magst du es doch leugnen! Das Geld liegt in deinem Bette unter dem Hauptpfühl: Richter und Schöffen, schicket hin, so werdet ihr es finden." Da verschwur sich der Wirt und sprach: „Hab ich das Geld empfangen, so führe mich der Teufel hinweg!" Als nun das Geld gefunden und gebracht war, sprach der im blauen Hütlein mit weißer Feder: „Ich wusste wohl, ich sollte einen davon haben, entweder den Wirt oder den Gast"; drehte damit dem Wirt den Kopf um und führte ihn in der Luft davon.

Der Werwolf

Ein Soldat erzählte folgende Geschichte, die seinem eignen Großvater begegnet sein soll. Dieser, sein Großvater, sei einmal in den Wald Holz hauen gegangen, mit einem Gevatter und noch einem Dritten, welchen Dritten man immer im Verdacht gehabt, dass es nicht ganz richtig mit ihm gewesen; doch so man hatte nichts Gewisses darüber zu sagen gewusst. Nun hätten die drei ihre Arbeit getan und wären müde geworden, worauf dieser dritte vorgeschlagen: ob sie nicht ein bisschen ausschlafen wollten. Das sei denn nun so geschehen, jeder hätte sich nieder an den Boden gelegt; er, der Großvater, aber nur so getan, als schlief er und die Augen ein wenig aufgemacht. Da hätte der Dritte erst recht um sich gesehen, ob die andern auch schliefen und als er solches geglaubt, auf einmal den Gürtel abgeworfen und wäre ein Werwolf gewesen, doch sehe ein solcher Werwolf nicht ganz aus, wie ein natürlicher Wolf, sondern etwas anders. Darauf wäre er weggelaufen zu einer nahen Wiese, wo gerade ein junges Füllen gegraset, das hätte er angefallen und gefressen mit Haut und Haar. Hernach wäre er zurückgekommen hätte den Gürtel wieder umgetan und nun, wie zuvor, in menschlicher Gestalt dagelegen. Nach einer kleinen Weile, als sie alles zusammen ausgestanden, wären sie heim nach der Stadt gegangen und wie sie eben am Schlagbaum gewesen, hätte jener Dritte über Magenweh geklagt. Da hätte ihm der Großvater heimlich ins Ohr gerannt: „Das will ich wohl glauben, wenn man ein Pferd mit Haut und Haar in den Leib gegessen hat"; – jener aber geantwortet: „Hättest du mir das im Wald gesagt, so solltest du es jetzt nicht mehr sagen."

Ein Weib hatte die Gestalt eines Werwolfs angenommen und war also einem Schäfer, den sie gehasst, in die Herde gefallen und hatte ihm großen Schaden getan. Der Schäfer aber verwundete den Wolf durch einen Beilwurf in die Hüfte, so dass er in ein Gebüsch kroch. Da ging der Schäfer ihm nach und gedachte ihn ganz zu überwältigen, aber er fand ein Weib, beschäftigt, mit einem abgerissenen Stück ihres Kleides das aus der Wunde strömende Blut zu stillen.

In Lüttich wurden im Jahre 1610 zwei Zauberer hingerichtet, weil sie sich in Werwölfe verwandelt und viele Kinder getötet. Sie hatten einen Knaben bei sich von zwölf Jahren, welchen der Teufel zum Raben machte, wenn sie Raub zerrissen und gefressen.

Der Drache fährt aus

Das Alpenvolk in der Schweiz hat noch viele Sagen bewahrt von Drachen und Würmern, die vor alter Zeit auf dem Gebirge hausten und oftmals verheerend in die Täler herabkamen. Noch jetzt, wenn ein ungestümer Waldstrom über die Berge stürzt, Bäume und Felsen mit sich reißt, pflegt es in einem tiefsinnigen Sprichwort zu sagen: „es ist ein Drach ausgefahren." Folgende Geschichte ist eine der merkwürdigsten:

Ein Binder aus Luzern ging aus, Daubenholz für seine Fässer zu suchen. Er verirrte sich in eine wüste, einsame Gegend, die Nacht brach herein und er fiel plötzlich in eine tiefe Grube, die jedoch unten schlammig war, wie in einen Brunnen hinab. Zu beiden Seiten auf dem Boden waren Eingänge in große Höhlen; als er diese genauer untersuchen wollte, stießen ihm zu seinem großen Schrecken zwei scheußliche Drachen auf. Der Mann betete eifrig, die Drachen umschlangen seinen Leib verschiedene Mal, aber sie taten ihm kein Leid. Ein Tag verstrich und mehrere, er musste vom 6. November bis zum 10. April in Gesellschaft der Drachen harren. Er nährte sich gleich ihnen von einer salzigen Feuchtigkeit, die aus den Felsenwänden schwitzte. Als nun die Drachen witterten, dass die Winterzeit vorüber war, beschlossen sie auszufliegen. Der eine tat es mit großem Rauschen und während der andere sich gleichfalls dazu bereitete, ergriff der unglückselige Fassbinder des Drachen Schwanz, hielt sich fest daran und kam aus dem Brunnen mit heraus. Oben ließ er los, wurde frei und begab sich wieder in die Stadt. Zum Andenken ließ er die ganze Begebenheit auf einen Priesterschmuck sticken, der noch jetzt in des heil. Leodagars Kirche zu Luzern zu sehen ist. Nach den Kirchenbüchern hat sich die Geschichte im Jahre 1420 zugetragen.

Winkelried und der Lindwurm

In Unterwalden beim Dorf Wyler hauste in der uralten Zeit ein scheußlicher Lindwurm, welcher alles was ihm ankam, Vieh und Menschen tötete und den ganzen Strich verödete, dergestalt, dass der Ort selbst davon den Namen Odwyler empfing. Da begab es sich, dass ein Eingeborener, Winkelried geheißen, als er einer schweren Mordtat halber landesflüchtig hatte werden müssen, sich erbot, den Drachen anzugreifen und umzubringen, unter der Bedingung, wenn man ihn nachher wieder in seine Heimat lassen würde. Da wurden die Leute froh und erlaubten ihm wieder in das Land zu kommen; er wagte es und überwand das Ungeheuer, indem er ihm ein Bündel Dornen in den aufgesperrten Rachen stieß. Während es nun suchte diese auszuspeien und nicht konnte, versäumte das Tier seine Verteidigung, und der Held nutzte die Blößen. Frohlockend warf er den Arm auf, womit er das bluttriefende Schwert hielt und zeigte den Einwohnern die Siegestat, da floss das giftige Drachenblut auf den Arm und an die bloße Haut und er musste alsbald sein Leben lassen. Aber das Land war errettet und ausgesöhnt; noch heutigentags zeigt man des Tieres Wohnung im Felsen und nennt sie die Drachenhöhle.

Der Lindwurm am Brunnen

Zu Frankenstein, einem alten Schlosse, anderthalb Stunden weit von Darmstadt, hausten vor alten Zeiten drei Brüder zusammen, deren Grabsteine man noch heutigentags in der Oberbirbacher Kirche siehet. Der eine der Brüder hieß Hans und er ist ausgehauen, wie er auf einem Lindwurm steht. Unten im Dorfe fließt ein Brunnen, in dem sich sowohl die Leute aus dem Dorf als aus dem Schloss ihr Wasser holen müssen; dicht neben den Brunnen hatte sich ein grässlicher Lindwurm gelagert, und die Leute konnten nicht anders Wasser schöpfen, als dadurch, dass sie ihm täglich ein Schaf oder ein Rindvieh brachten; solang der Drache daran fraß, durften die Einwohner zum Brunnen. Um diesen Unfug aufzuheben, beschloss Ritter Hans den Kampf zu wagen; lange stritt er, endlich gelang es ihm, dem Wurme den Kopf abzuhauen. Nun wollte er auch den Rumpf des Untiers, der noch zappelte, mit der Lanze durchstechen, da kringelte sich der spitzige Schweif um des Ritters rechtes Bein und stach ihn gerade in die Kniekehle, die einzige Stelle, welche der Panzer nicht deckte. Der ganze Wurm war giftig und Hans von Frankenstein musste sein Leben lassen.

Die Wiesenjungfrau

Ein Bube von Auerbach an der Bergstraße hütete seines Vaters Kühe auf der schmalen Talwiese, von der man das alte Schloss sehen kann. Da schlug ihn auf einmal von hintenher eine weiche Hand sanft auf den Rücken, dass er sich umdrehte, und siehe, eine wunderschöne Jungfrau stand vor ihm, von Kopf zu den Füßen weiß gekleidet, und wollte eben den Mund auftun, ihn anzureden. Aber der Bub erschrak, wie vor dem Teufel selbst, und nahm Reißaus ins Dorf hinein. Weil indessen sein Vater bloß die eine Wiese hatte, musste er die Kühe immer wieder zu derselben Weide treiben, er mochte wollen oder nicht. Es währte lange Zeit, und der Junge hatte die Erscheinung bald vergessen, da raschelte etwas in den Blättern an einem schwülen Sommertag und er sah eine kleine Schlange kriechen, die trug eine blaue Blume in ihrem Mund und fing plötzlich zu sprechen an: „Hör, guter Jung, du könntest mich erlösen, wenn du diese Blume nähmest, die ich trage, und die ein Schlüssel ist zu meinem Kämmerlein droben im Schloss, da würdest du Gelds die Fülle finden." Aber der Hirtenbub erschrak, da er sie reden hörte, und lief wieder nach Haus. Und an einem der letzten Herbsttage hütete er wieder auf der Wiese, da zeigte sie sich zum dritten Mal in der Gestalt der ersten weißen Jungfrau und gab ihm einen Backenstreich, bat auch flehentlich, er möchte sie doch erlösen, wozu sie ihm alle Mittel und Wege angab. All ihr Bitten war für nichts und wider nichts, denn die Furcht überwältigte den Buben, dass er sich bekreuzte und segnete und nichts mit dem Gespenst zu tun haben wollte. Da holte die Jungfrau einen tiefen Seufzer und sprach: „Weh, dass ich mein Vertrauen auf dich gesetzt habe; nun muss ich neuerdings harren und warten, bis auf der Wiese ein Kirschenbaum wachsen und aus des Kirschenbaums Holz eine Wiege gemacht sein wird. Nur das Kind, das in der Wiege zuerst gewiegt werden wird, kann mich dereinst erlösen." Darauf verschwand sie und der Bub, heißt es, sei nicht gar alt geworden, woran er gestorben, weiß man nicht.

Frau Hütt

In uralten Zeiten lebte im Tirolerland eine mächtige Riesenkönigin, Frau Hütt genannt, und wohnte auf den Gebirgen über Innsbruck, die jetzt grau und kahl sind, aber damals voll Wälder, reicher Acker und grüner Wiesen waren. Auf eine Zeit kam ihr kleiner Sohn heim, weinte und jammerte, Schlamm bedeckte ihm Gesicht und Hände, dazu sah sein Kleid schwarz aus, wie ein Köhlerkittel. Er hatte sich eine Tanne zum Steckenpferd abknicken wollen, weil der Baum aber am Rande, eines Morastes stand, so war das Erdreich unter ihm gewichen und er bis zum Haupt in den Moder gesunken, doch hatte er sich noch glücklich herausgeholfen. Frau Hütt tröstete ihn, versprach ihm ein neues schönes Röcklein und rief einen Diener, der sollte weiche Brosamen nehmen und ihm damit Gesicht und Hände reinigen. Kaum aber hatte dieser angefangen mit der heiligen Gottesgabe also sündlich umzugehen, so zog ein schweres, schwarzes Gewitter daher, das den Himmel ganz zudeckte und ein entsetzlicher Donner schlug ein. Als es wieder sich aufgehellt, da waren die reichen Kornäcker, grünen Wiesen und Wälder und die Wohnung der Frau Hütt verschwunden und überall war nur eine Wüste mit zerstreuten Steinen, wo kein Grashalm mehr wachsen konnte, in der Mitte aber stand Frau Hütt, die Riesenkönigin, versteinert und wird so stehen bis zum jüngsten Tag.

In vielen Gegenden Tirols, besonders in der Nähe von Innsbruck wird bösen und mutwilligen Kindern die Sage zur Warnung erzählt, wenn sie sich mit Brot werfen oder sonst Übermut damit treiben. „Spart eure Brosamen", heißt es, „für die Armen, damit es euch nicht ergehe, wie der Frau Hütt."

Der Frauensand

Westlich im Südersee wachsen mitten aus dem Meer Gräser und Halme hervor, an der Stelle, wo die Kirchtürme und stolzen Häuser der vormaligen Stadt Stavoren in tiefer Flut begraben liegen. Der Reichtum hat ihre Bewohner ruchlos gemacht, und als das Maß ihrer Übeltaten erfüllt war, gingen sie bald zugrunde. Fischer und Schiffer am Strand des Südersees haben die Sage von Mund zu Mund fortbewahrt.

Die vermögendste aller Insassen der Stadt Stavoren war eine Jungfrau, deren Namen man nicht mehr nennt. Stolz auf ihr Geld und Gut, hart gegen die Menschen, strebte sie bloß, ihre Schätze immer noch zu vermehren. Flüche und gotteslästerliche Reden hörte man viel aus ihrem Munde. Auch die übrigen Bürger dieser unmäßig reichen Stadt, zu deren Zeit man Amsterdam noch nicht nannte, und Rotterdam ein kleines Dorf war, hatten den Weg der Tugend verlassen.

Eines Tages rief diese Jungfrau ihren Schiffmeister und befahl ihm auszufahren und eine Ladung des Edelsten und Besten mitzubringen, was auf der Welt wäre. Vergebens forderte der Seemann, gewohnt an pünktliche und bestimmte Aufträge, nähere Weisung; die Jungfrau bestand zornig auf ihrem Wort und hieß ihn alsbald in die See stechen. Der Schiffmeister fuhr unschlüssig und unsicher ab, er wusste nicht, wie er dem Geheiß seiner Frau, deren bösen, strengen Sinn er wohl kannte, nachkommen möchte und überlegte hin und her, was zu tun sei. Endlich

71

dachte er: ich will ihr eine Ladung des köstlichsten Weizen bringen, was ist Schöneres und Edleres zu finden an Erden, als dies herrliche Korn, dessen kein Mensch entbehren kann? Also steuerte er nach Danzig, befrachtete sein Schiff mit ausgesuchtem Weizen und kehrte alsdann, immer noch unruhig und furchtsam vor dem Ausgang, wieder in seine Heimat zurück. „Wie, Schiffmeister", rief ihm die Jungfrau entgegen, „du bist schon hier? Ich glaubte dich an der Küste von Afrika, um Gold und Elfenbein zu handeln, lass sehen, was du geladen hast." Zögernd, denn an ihren Reden sah er schon, wie wenig sein Einkauf ihr behagen würde, antwortete er: „Meine Frau, ich führe Euch zu den köstlichsten Weizen, der auf dem ganzen Erdreich mag gefunden werden." „Weizen", sprach sie, „so elendes Zeug bringst du mir?" „Ich dachte das wäre so elend nicht, was uns unser tägliches und gesundes Brot gibt." „Ich will dir zeigen, wie verächtlich mir deine Ladung ist; von welcher Seite ist das Schiff geladen?" „Von der rechten Seite", sprach der Schiffmeister. „Wohlan, so befehl ich dir, dass du zur Stunde die ganze Ladung auf der linken Seite in die See schüttest; ich komme selbst hin und sehe, ob mein Befehl erfüllt worden."

Der Seemann zauderte einen Befehl auszuführen, der sich so gräulich an der Gabe Gottes versündigte und berief in Eile alle armen und dürftigen Leute aus der Stadt an die Stelle, wo das Schiff lag, durch deren Anblick er seine Herrin zu bewegen hoffte. Sie kam und fragte: „Wie ist mein Befehl ausgerichtet?" Da fiel eine Schar von Armen auf die Knie vor ihr und baten, dass sie ihnen das Korn austeilen möchte, lieber als es vom Meer verschlingen zu lassen. Aber das Herz der Jungfrau war hart wie Stein und sie erneuerte den Befehl, die ganze Ladung schleunigst über Bord zu werfen. Da bezwang sich der Schiffmeister länger nicht und rief laut: „Nein, diese Bosheit kann Gott nicht ungerächt lassen, wenn es wahr ist, dass der Himmel das Gute lohnt und das Böse straft; ein Tag wird kommen, wo Ihr gerne die edlen Körner, die Ihr so fortwerft, eins nach dem andern auflesen möchtet, Euren Hunger damit zu stillen!" „Wie", rief sie mit höllischem Gelächter, „ich soll dürftig werden können? Ich soll in Armut und Brotmangel fallen? So wahr das geschieht, so wahr sollen auch meine Augen diesen Ring wieder erblicken, den ich hier in die Tiefe der See werfe." Bei diesem Wort zog sie einen kostbaren Ring vom Finger und warf ihn in die Wellen. Die ganze Ladung des Schiffes und aller Weizen, der darauf war, wurde also in die See geschüttet.

Was geschah? Einige Tage darauf ging die Magd dieser Frau zu Markt, kaufte einen Schellfisch und wollte ihn in der Küche zurichten; als sie ihn aufschnitt, fand sie darin einen kostbaren Ring und zeigte ihn ihrer Frau. Wie diese ihn sah, erkannte sie ihn sogleich für ihren Ring, den sie neulich ins Meer geworfen hatte, erbleichte und fühlte die Vorboten der Strafe in ihrem Gewissen. Wie groß war aber ihr Schrecken, als in demselben Augenblick die Botschaft eintraf, ihre ganze aus Morgenland kommende Flotte wäre gestrandet! Wenige Tage darauf kam eine neue Nachricht von untergegangenen Schiffen, worauf sie noch reiche Ladungen hatte. Ein anderes Schiff raubten ihr die Mohren und Türken; der Fall einiger Kaufhäuser, worin sie verwickelt war, vollendete bald ihr Unglück und kaum war ein Jahr verflossen, so erfüllte sich die schreckliche Drohung des Schiffmeisters in allen Stücken. Arm und von keinem betrauert, von vielen verhöhnt sank sie je länger je mehr in Not und Elend, hungrig bettelte sie Brot vor den Türen und bekam oft keinen Bissen, endlich verkümmerte sie und starb verzweifelnd.

Der Weizen aber, der in das Meer geschüttet worden war, spross und wuchs das folgende Jahr, doch trug er taube Ähren. Niemand achtete auf das Warnungszeichen, allein die Ruchlosigkeit von Stavoren nahm von Jahr zu Jahr überhand, da zog Gott der Herr seine schirmende Hand ab von der bösen Stadt. Auf eine Zeit schöpfte man Hering und Butt aus den Ziehbrunnen und in der Nacht öffnete sich die See und verschlang mehr als drei Viertel der Stadt in rauschender Flut. Noch beinahe jedes Jahr versinken einige Hütten der Insassen und es ist seit der Zeit kein Segen und kein wohlhabender Mann in Stavoren zu finden. Noch immer wächst jährlich an derselben Stelle ein Gras aus dem Wasser, das kein Kräuterkenner kennt, das keine Blüte trägt und sonst nirgends mehr auf Erden gefunden wird. Der Halm treibt lang und hoch, die Ähre gleicht der Weizenähre, ist aber taub und ohne Körner. Die Sandbank, worauf es grünt, liegt entlang der Stadt Stavoren und trägt keinen andern Namen als den des Frauensands.

Die Kinder zu Hameln

Im Jahr 1284 ließ sich zu Hameln ein wunderlicher Mann sehen. Er hatte einen Rock von vielfarbigem bunten Tuch an, weshalb er Bundting soll geheißen haben, und gab sich für einen Rattenfänger aus, indem er versprach, gegen ein gewisses Geld die Stadt von allen Mäusen und Ratten zu befreien. Die Bürger wurden mit ihm einig und versicherten ihm einen bestimmten Lohn. Der Rattenfänger zog demnach ein Pfeifchen heraus und pfiff, da kamen also bald die Ratten und Mäuse aus allen Häusern hervorgekrochen und sammelten sich um ihn herum. Als er nun meinte, es wäre keine zurück, ging er hinaus und der ganze Hause folgte ihm, und so führte er sie an die Weser; dort schürzte er seine Kleider und trat in das Wasser, worauf ihm alle die Tiere folgten und hineinstürzend ertranken.

Nachdem die Bürger aber von ihrer Plage befreit waren, reute sie der versprochene Lohn und sie verweigerten ihn dem Manne unter allerlei Ausflüchten, so dass er zornig und erbittert wegging. Am 26. Juni auf Johannis und Pauli Tag, morgens früh sieben Uhr, nach andern Mittag, erschien er wieder, jetzt in Gestalt eines Jägers erschrecklichen Angesichts mit einem roten wunderlichen Hut und ließ seine Pfeife in den Gassen hören. Alsbald kamen diesmal nicht Ratten und Mäuse, sondern Kinder, Knaben und Mägdlein vom vierten Jahr an, in großer Anzahl gelaufen, worunter auch schon die erwachsene Tochter des Bürgermeisters war. Der ganze Schwarm folgte ihm nach und er führte sie hinaus in einen Berg, wo er mit ihnen verschwand. Dies hatte ein Kindermädchen gesehen, welches mit einem Kind auf dem Arm von fern nachgezogen war, danach umkehrte und das Gerücht in die Stadt brachte. Die Eltern liefen haufenweis vor alle Tore und suchten mit betrübtem Herzen ihre Kinder; die Mütter erhoben ein jämmerliches Schreien und Weinen. Von Stund an wurden Boten zu Wasser und Land an alle Orte herumgeschickt, zu erkundigen, ob man die Kinder, oder auch nur etliche gesehen, aber alles vergeblich. Es waren im ganzen hundertunddreißig verloren. Zwei sollen, wie einige sagen, sich verspätet haben und zurückgekommen sein, wovon aber das eine blind, das andere stumm gewesen, also dass das blinde den Ort nicht hat zeigen können, aber wohl erzählen, wie sie dem Spielmann gefolgt wären; das stumme aber den Ort gewiesen, ob es gleich nichts gehört. Ein Knäblein war im Hemd mitgelaufen und kehrte um, seinen Rock zu holen, wodurch es dem Unglück entgangen; denn als es zurückkam, waren die andern schon in der Grube eines Hügels, die noch gezeigt wird, verschwunden.

Die Straße, wodurch die Kinder zum Tor hinausgegangen, hieß noch in der Mitte des 18. Jahrhunderts (wohl noch heute) die bunge-lose (trommel-tonlose, stille), weil kein Tanz darin geschehen, noch Saitenspiel durfte gerührt werden. Ja, wenn eine Braut mit Musik zur Kirche gebracht ward, mussten die Spielleute über die Gasse hin stillschweigen. Der Berg bei Hameln, wo die Kinder verschwanden heißt der Poppenberg, wo links und rechts zwei Steine in Kreuzform aufgerichtet worden sind. Einige sagen, die Kinder wären in eine Höhle geführt worden und in Siebenbürgen wieder herausgekommen.

Die Bürger von Hameln haben die Begebenheit in ihr Stadtbuch einzeichnen lassen und pflegten in ihren Ausschreiben nach dem Verlust ihrer Kinder Jahr und Tag zu zählen. Nach Seyfried ist der 22. statt des 26. Juni im

Stadtbuch angegeben. An dem Rathaus standen folgende Zeilen:

Im Jahr 1287 na Christi gebort
tho Hamel worden uthgevort
hundert und dreißig Kinder dasülvest geborn
dorch einen Piper under den Köppen verlorn.[4]

Im Jahr 1572 ließ der Bürgermeister die Geschichte in die Kirchenfenster abbilden mit der nötigen Überschrift, welche größtenteils unleserlich geworden. Auch ist eine Münze darauf geprägt.

---

4 Im Jahre 1287 nach Christi Geburt zu Hameln wurden fortgeführt hundert und dreißig Kinder daselbst geboren durch einen Pfeifer unter den Berg verloren.

Frau Berta oder die weiße Frau

Die weiße Frau erscheint in den Schlössern mehrerer fürstlicher Häuser, namentlich zu Neuhaus in Böhmen, zu Berlin, Baireuth, Darmstadt und Karlsruhe und in allen, deren Geschlechter nach und nach durch Verheiratung mit dem ihren verwandt geworden sind. Sie tut niemandem etwas zuleide, neigt ihr Haupt vor jedem, dem sie begegnet, spricht nichts und ihr Besuch bedeutet einen nahen Todesfall, manchmal auch etwas Fröhliches, wenn sie nämlich keine schwarzen Handschuhe an hat. Sie trägt ein Schlüsselbund und eine weiße Schleierhaube. Nach einigen soll sie im Leben Perchta von Rosenberg geheißen, zu Neuhaus in Böhmen gewohnt haben und mit Johann von Lichtenstein, einem bösen, störrischen Mann, vermählt gewesen sein. Nach ihres Gemahls Tode lebte sie in Witwenschaft zu Neuhaus und fing an zu großer Beschwerde ihrer Untertanen, die ihr frönen mussten, ein Schloss zu bauen. Unter der Arbeit rief sie ihnen zu, fleißig zu sein: „Wann das Schloss zustand sein wird, will ich euch und euren Leuten einen süßen Brei vorsetzen", denn dieser Redensart bedienten sich die Alten, wenn sie jemand zu Gast luden. Den Herbst nach Vollendung des Baues hielt sie nicht nur ihr Wort, sondern stiftete auch, dass auf ewige Zeiten hin alle Rosenberge ihren Leuten ein solches Mahl geben sollten[5]. Dieses ist bisher fortgeschehen und

---

5   Der Brei wird aus Erbsen und Heidegrütz gekocht, auch jedes mal Fisch
     dazu gegeben.

unterbleibt es, so erscheint sie mit zürnenden Mienen. Zuweilen soll sie in fürstliche Kinderstuben nachts, wenn die Ammen der Schlaf befällt, kommen, die Kinder wiegen und vertraulich umtragen. Einmal als eine unwissende Kinderfrau erschrocken fragte: „Was hast du mit dem Kinde zu schaffen?" und sie mit Worten schalt, soll sie doch gesagt haben: „Ich bin keine Fremde in diesem Haus wie du, sondern gehöre ihm zu; dieses Kind stammt von meinen Kindeskindern. Weil ihr mir aber keine Ehre erwiesen habt, will ich nicht mehr wieder einkehren."

Der Grenzlauf

Über den Klußpaß und die Bergscheide hinaus vom Schächentale weg erstreckt sich das Urner Gebiet am Fletschbache fort und in Glarus hinüber. Einst stritten die Urner mit den Glarnern bitter um ihre Landesgrenze, beleidigten und schädigten einander täglich. Da ward von den Biedermännern der Ausspruch getan: Zur Tag- und Nachtgleiche solle von jedem Teil frühmorgens, sobald der Hahn krähe, ein rüstiger, kundiger Felsgänger ausgesandt werden und jedweder nach dem jenseitigen Gebiet zulaufen und da, wo sich beide Männer begegneten, die Grenzscheide festgesetzt bleiben, das kürzere Teil möge nun fallen diesseits oder jenseits. Die Leute wurden gewählt und man dachte besonders darauf, einen solchen Hahn zu halten, der sich nicht verkrähe und die Morgenstunde auf das allerfrüheste ansagte. Und die Urner nahmen einen Hahn, setzten ihn in einen Korb und gaben ihm sparsam zu essen und saufen, weil sie glaubten, Hunger und Durst werde ihn früher wecken. Dagegen die Glarner fütterten und mästeten ihren Hahn, dass er freudig und hoffärtig den Morgen grüßen könne, und dachten damit am besten zu fahren. Als nun der Herbst kam und der bestimmte Tag erschien, da geschah es, dass zu Altdorf der schmachtende Hahn zuerst krähte, kaum wie es dämmerte, und froh brach der Urner Felsenklimmer auf, der Grenze zulaufend. Allein im Lindtal drüben stand schon die volle Morgenröte am Himmel, die Sterne waren verblichen und der fette Hahn schlief noch in guter Ruh. Traurig umgab ihn die ganze Gemeinde, aber es galt die Redlichkeit und keiner wagte es, ihn aufzuwecken; endlich schwang er die Flügel und krähte. Aber dem Glarner Läufer wird's schwer sein, dem Urner den Vorsprung wieder abzugewinnen! Ängstlich sprang er, und schaute gegen das Scheideck, wehe, da sah er oben am Giebel des Grats den Mann schreiten und schon bergabwärts niederkommen, aber der Glarner schwang die Fersen und wollte seinem Volke noch vom Lande retten, so viel als möglich. Doch bald stießen die Männer auf einander, und der von Uri rief: „Hier ist die Grenze!" „Nachbar", sprach betrübt der von Glarus, „sei gerecht und gib mir noch ein Stück von dem Weidland, das du errungen hast!" Doch der Urner wollte nicht, aber der Glarner ließ ihm nicht Ruh, bis er barmherzig wurde und sagte: „So viel will ich dir noch gewähren, als du, mich an deinem Hals tragend, bergan läufst." Da fasste ihn der rechtschaffene Sennhirt von Glarus und klomm noch ein Stück Felsen hinauf, und manche Tritte gelangen ihm noch, aber plötzlich versiegte ihm der Atem und tot sank er zu Boden. Und noch heutigentags wird das Grenzbächlein gezeigt, bis zu welchem der einsinkende Glarner den siegreichen Urner getragen habe. In Uri war große Freude ob ihres Gewinnstes, aber auch die zu Glarus gaben ihrem Hirten die verdiente Ehre und bewahrten seine große Treue in steter Erinnerung.

Der Hirt auf dem Kyffhäuser

Es wird erzählt, dass bei Frankenhausen in Thüringen ein Berg liege, darin Kaiser Friedrich seine Wohnung habe und vielmal gesehen worden. Ein Schafhirt, der auf dem Berge hütete und die Sage gehört hatte, fing an, aus seiner Sackpfeife zu pfeifen, und rief dann überlaut: „Kaiser Friedrich, das sei dir geschenkt!" Da soll sich der Kaiser hervorgetan, dem Schäfer offenbart und zu ihm gesprochen haben: „Gott grüß dich, Männlein, wem zu Ehren hast du gepfiffen?" „Dem Kaiser Friedrich", antwortete der Schäfer. Der Kaiser sprach weiter: „Hast du das getan, so komm mit mir, er soll dir darum lohnen." Der Hirt sagte: „Ich darf nicht von den Schafen geben." Der Kaiser aber antwortete: „Folge mir nach, den Schafen soll kein Schaden geschehen." Der Hirt folgte ihm und der Kaiser Friedrich nahm ihn bei der Hand und führte ihn, nicht weit von den Schafen zu einem Loch in den Berg hinein. Sie kamen zu einer eisernen Tür, die alsbald aufging, nun zeigte sich ein schöner, großer Saal, darin waren viel Herren und Diener, die ihm Ehre erzeigten. Nachher erwies sich der Kaiser auch freundlich gegen ihn und fragte, was er für einen Lohn begehre, dass er ihm gepfiffen? Der Hirt antwortete: „Keinen." Da sprach aber der Kaiser: „Geh hin und nimm von meinem güldnen Handfass den einen Fuß zum Lohn." Das tat der Schäfer, wie ihm befohlen ward, und darauf wollte er von dannen scheiden, da zeigte ihm der Kaiser noch viel seltsame Waffen, Harnische, Schwerter und Büchsen und sprach, er sollte den Leuten sagen, dass er mit diesen

Waffen das heilige Grab gewinnen werde. Hierauf ließ er den Hirt wieder hinaus geleiten, der nahm den Fuß mit, brachte ihn den andern Tag zu einem Goldschmied, der ihn für echtes Gold erkannte und ihm abkaufte.

Der Gemsjäger

Ein Gemsjäger stieg auf und kam zu dem Felsgrat und immer weiter klimmend, als er je vorher gelangt war, stand plötzlich ein hässlicher Zwerg vor ihm, der sprach zornig: „Warum erlegst du mir lange schon meine Gemsen und lässt mir nicht meine Herde? Jetzt sollst du's mit deinem Blute teuer bezahlen!" Der Jäger erbleichte und wäre bald hinabgestürzt, doch fasste er sich noch und bat den Zwerg um Verzeihung, denn er habe nicht gewusst, dass ihm diese Gemsen gehörten. Der Zwerg sprach: „Gut, aber lass dich hier nicht wieder blicken, so verheiß ich dir, dass du jeden siebenten Tag morgens früh vor deiner Hütte ein geschlachtetes Gemstier hangen finden sollst, aber hüte dich vor mir und schone die andern." Der Zwerg verschwand und der Jäger ging nachdenklich heim und die ruhige Lebensart behagte ihm wenig. Am siebenten Morgen hing eine fette Gemse in den Ästen eines Baums vor seiner Hütte, davon zehrte er ganz vergnügt und die nächste Woche ging's ebenso und dauerte ein paar Monate fort. Allein zuletzt verdross den Jäger seine Faulheit und er wollte lieber selber Gemsen jagen, möge erfolgen, was da werde, als sich den Braten zutragen lassen. Da stieg er auf und nicht lange, so erblickte er einen stolzen Leitbock, legte an und zielte. Und als ihm nirgends der böse Zwerg erschien, wollte er eben losdrücken, da war der Zwerg hinter ihm her geschlichen und riss den Jäger am Knöchel des Fußes nieder, dass er zerschmettert in den Abgrund sank.

Andere erzählen: Es habe der Zwerg dem Jäger ein Gemskäslein geschenkt, an dem er wohl sein Lebelang hätte genug haben mögen, er es aber unvorsichtig einmal aufgegessen oder ein unkundiger Gast ihm den Rest verschlungen. Aus Armut habe er demnach wieder die Gemsjagd unternommen und sei vom Zwerg in den Abgrund gestürzt worden.

Jungfrau Ilse

Der Ilsenstein ist einer der größten Felsen des Harzgebirges, liegt auf der Nordseite in der Grafschaft Wernigerode unweit Ilsenburg am Fuß des Brockens und wird von der Ilse bespült. Ihm gegenüber ein ähnlicher Fels, dessen Schichten zu diesem passen und bei einer Erderschütterung davon getrennt zu sein scheinen.

Bei der Sintflut flohen ein Jüngling und eine Jungfrau dem Brocken zu, um der immer höher steigenden allgemeinen Überschwemmung zu entrinnen. Eh sie noch denselben erreichten und gerade auf einem andern Felsen zusammenstanden, spaltete sich solcher und wollte sie trennen. Auf der linken Seite, dem Brocken zugewandt, stand die Jungfrau; auf der rechten der Jüngling und mit einander stürzten sie umschlungen in die Fluten. Die Jungfrau hieß Ilse. Noch alle Morgen schließt sie den Ilsenstein auf, sich in der Ilse zu baden. Nur wenigen ist es vergönnt, sie zu sehen, aber wer sie kennt, preist sie. Einst fand sie früh morgens ein Köhler, grüßte sie freundlich und folgte ihrem Winken bis vor den Fels; vor dem Fels nahm sie ihm seinen Ranzen ab, ging hinein damit und brachte ihn gestillt zurück. Doch befahl sie dem Köhler, er sollte ihn erst in seiner Hütte öffnen. Die Schwere fiel ihm auf und als er an der Ilsenbrücke war, konnte er sich nicht länger enthalten, machte den Ranzen auf und sah Eicheln und Tannäpfel. Unwillig schüttelte er sie in den Strom, sobald sie aber die Steine der Ilse berührten, vernahm er ein Klingeln und sah mit Schrecken, dass er Gold verschüttet hatte.

Der nun sorgfältig aufbewahrte Überrest in den Ecken des Sacks machte ihn aber noch reich genug.

Nach einer andern Sage stand auf dem Ilsenstein vorzeiten eines Harzkönigs Schloss, der eine sehr schöne Tochter, namens Ilse, hatte. Nah dabei hauste eine Hexe, deren Tochter über alle Maßen hässlich aussah. Eine Menge Freier warben um Ilse, aber niemand begehrte die Hexentochter; da zürnte die Hexe und verwandelte durch Zauber das Schloss in einen Felsen, an dessen Fuße sie eine nur der Königstochter sichtbare Türe anbrachte. Aus dieser Tür schreitet noch jetzo alle Morgen die verzauberte Ilse und badet sich im Flusse, der nach ihr heißt. Ist ein Mensch so glücklich und sieht sie im Bade, so führt sie ihn mit ins Schloss, bewirtet ihn köstlich und entlässt ihn reichlich beschenkt. Aber die neidische Hexe macht, dass sie nur an einigen Tagen des Jahres im Bad sichtbar ist. Nur derjenige vermag sie zu erlösen, der mit ihr zu gleicher Zeit im Flusse badet und ihr an Schönheit und Tugend gleicht.

Der Roßtrapp und der Cretpfuhl

Den Roßtrapp oder die Roßtrappe nennt man einen Felsen mit einer eirunden Vertiefung, welche einige Ähnlichkeit mit dem Eindruck eines riesenmäßigen Pferdehufs hat, in dem hohen Vorgebirge des Nordharzes, hinter Tale. Davon gibt es folgende abweichende Sagen:

1. Eines Hünenkönigs Tochter stellte vorzeiten die Wette an, mit ihrem Pferde über den tiefen Abgrund, Cretpfuhl genannt, von einem Felsen zum andern zu springen. Zweimal hatte sie es glücklich verrichtet, beim dritten Male aber schlug das Ross rückwärts über und stürzte mit ihr in die Schlucht hinab. Darin befindet sie sich immer noch. Ein Taucher hatte sie einmal einigen zu Gefallen um ein Trinkgeld soweit außer Wasser gebracht, dass man etwas von der Krone sehen konnte, die sie auf dem Haupt getragen. Als er zum dritten Male dran sollte, wagte er's anfänglich nicht, entschloss sich zuletzt doch und vermeldete dabei: „Wenn aus dem Wasser ein Blutstrahl steigt, so hat mich die Jungfrau umgebracht; dann eilet alle davon, dass ihr nicht auch in Gefahr geratet." Wie er sagte, so geschah's, ein Blutstrahl stieg auf.

2. Vor tausend und mehr Jahren, ehe noch die Raubritter die Hoymburg, Leuenburg, Steckelnburg und

Winzenburg erbauten, war das Land rings um den Harz von Riesen bewohnt, die Heiden und Zauberer waren, und Raub, Mord und Gewalttat übten. Sechzigjährige Eichen rissen sie samt den Wurzeln aus und fochten damit. Was sich entgegenstellte, wurde mit Keulen niedergeschlagen und die Weiber in Gefangenschaft fortgeschleppt, wo sie Tag und Nacht dienen mussten. In dem Boheimer Walde hauste dazumal ein Riese, Bodo genannt. Alles war ihm untertan, nur Emma, die Königstochter vom Riesengebirge, die konnte er nicht zu seiner Liebe zwingen. Stärke noch List halfen ihm nichts, denn sie stand mit einem mächtigen Geiste im Bund. Einst aber ersah sie Bodo jagend auf der Schneekoppe und sattelte sogleich seinen Zelter, der meilenlange Fluren im Augenblick übersprang. Er schwur, Emma zu fangen oder zu sterben. Fast hätte er sie erreicht, als sie ihn aber zwei Meilen weit hinter sich erblickte und an den Torflügeln eines zerstörten Städtleins, welche er im Schilde führte, erkannte, da schwenkte sie schnell das Ross. Und von ihren Sporen getrieben, flog es über Berge, Klippen und Wälder durch Thüringen in die Gebirge des Harzes. Oft hörte sie einige Meilen hinter sich das schnaubende Ross Bodos und jagte dann den nimmermüden Zelter zu neuen Sprüngen auf. Jetzt stand ihr Ross verschnaufend auf dem furchtbaren Fels, der Teufels Tanzplatz heißt. Angstvoll blickte Emma in die Tiefe, denn mehr als tausend Fuß ging senkrecht dies Felsenmauer herab zum Abgrund. Tief rauschte der Strom unten und kreiste in furchtbaren Wirbeln. Der entgegenstehende Fels schien noch entfernter und kaum Raum zu haben für einen Vorderfuß des

Rosses. Von neuem hörte sie Bodos Ross schnau-
ben, in der Angst rief sie die Geister ihrer Väter
zu Hilfe und ohne Besinnung drückte sie ihrem
Zelter die ellenlangen Sporen in die Seite. Und das
Ross sprang über den Abgrund, glücklich auf die
spitze Klippe und schlug seinen Huf vier Fuß tief in
das harte Gestein, dass die Funken stoben. Das ist
jener Roßtrapp. Die Zeit hat die Vertiefung kleiner
gemacht, aber kein Regen kann sie ganz verwischen.
Emma war gerettet, aber die zentnerschwere goldne
Königskrone fiel während des Sprungs von ihrem
Haupte in die Tiefe. Bodo, in blinder Hitze nachset-
zend, stürzte in den Strudel und gab dem Fluss den
Namen. (Die Bode ergießt sich mit der Emme und
Saale in die Elbe.) Hier als schwarzer Hund bewacht
er die goldne Krone der Riesentochter, dass kein
Golddurstiger sie heraushole. Ein Taucher wagte es
einst unter großen Versprechungen. Er stieg in die
Tiefe, fand die Krone und hob sie in die Höhe, dass
das zahllos versammelte Volk schon die Spitzen
golden schimmern sah. Aber zu schwer, entsank sie
zweimal seinen Händen. Das Volk rief ihm zu, das
dritte Mal hinabzusteigen. Er tat's und ein Blutstrahl
sprang hoch in die Höhe. Der Taucher kam nimmer
wieder heraus. Jetzo deckt tiefe Nacht und Stille
den Abgrund, kein Vogel fliegt darüber. Nur um
Mitternacht hört man oft in der Ferne das dumpfe
Hundegeheul des Heiden. Der Strudel heißt: der
Kreetpfuhl[6] und der Fels, wo Emma die Hilfe der
Höllengeister erflehte, des Teufels Tanzplatz.

---

6   D.h. Teufelspfuhl, wie die nördlichen Harzbewohner Kreetkind ein Teu-
     felskind nennen.

Der Mägdesprung

Zwischen Ballenstedt und Harzgerode in dem Selketal zeigt das Volk auf einen hohen, durch eine Säule ausgezeichneten Felsen, auf eine Vertiefung im Gestein, die einige Ähnlichkeit mit der Fußtapfe eines Menschen hat und 80 bis 100 Fuß weiter auf eine zweite Fußtapfe. Die Sage davon ist aber verschieden.

Eine Hünin oder Riesentochter erging sich einst auf dem Rücken des Harzes von dem Petersberge herkommend. Als sie die Felsen erreicht hatte, die jetzt über den Hüttenwerken stehen, erblickte sie ihre Gespielin, die ihr winkte, auf der Spitze des Rammberges. Lange stand sie so zögernd, denn ihren Standort und den nächsten Berggipfel trennte ein breites Tal. Sie blieb hier so lange, dass sich ihre Fußtapfe ellentief in den Felsen drückte, wovon heutzutage noch die schwachen Spuren zu sehen sind. Ihres Zögerns lachte höhnisch ein Knecht des Menschenvolks, das diese Gegend bewohnte, und der bei Harzgerode pflügte. Die Hünin merkte das, streckte ihre Hand aus und hob den Knecht samt Pflug und Pferden in die Höhe, nahm alles zusammen in ihr Obergewand und sprang damit über das Tal hinweg und mit einigen Schritten hatte sie ihre Gespielin erreicht.

Oft hört man erzählen: die Königstochter sei in ihrem Wagen gefahren kommen und habe auf das jenseitige Gebirg gewollt. Flugs tat sie den Wagen nebst den Pferden in die Schürze und sprang von einem Berg nach dem andern.

Der Harrassprung

Bei Lichtenwalde im sächsischen Erzgebirge zeigt man an dem Zschopautal eine Stelle, genannt der Harrassprung, wo vorzeiten ein Ritter, von seinen Feinden verfolgt, die steile Felsenwand hinunter in den Abgrund geritten sein soll. Das Ross wurde zerschmettert, aber der Held entkam glücklich auf das jenseitige Ufer.

Das Hünenblut

Zwischen dem magdeburgischen Städtchen Egeln und dem Dorfe Westeregeln, unweit des Hakels, findet sich in einer flachen Vertiefung rotes Wasser, welches das Volk: Hünenblut nennet. Ein Hüne floh, verfolgt von einem andern, überschritt die Elbe und als er in die Gegend kam, wo jetzo Egeln liegt, blieb er mit einem Fuße, den er nicht genug aufhob, an der Turmspitze der alten Burg hangen, stolperte, erhielt sich noch ein paar Tausend Fuß zwischen Fall und Aufstehen, stürzte aber endlich nieder. Seine Nase traf gerade auf einen großen Feldstein bei Westeregeln mit solcher Gewalt, dass er sich das Nasenbein zerschmetterte und ihm ein Strom von Blut entstürzte, dessen Überreste noch jetzt zu sehen sind.

Nach einer zweiten Erzählung wohnte der Hüne in der Gegend von Westeregeln. Oft machte er sich das Vergnügen über das Dorf und seine kleinen Bewohner wegzuspringen. Bei einem Sprung aber ritzte er seine große Zehe an der Turmspitze, die er berührte. Das Blut spritzte aus der Wunde in einem tausendfüßigen Bogen, bis in die Lache, in der sich das nie versiegende Hünenblut sammelte.

Hans Heilings Felsen

An der Eger, dem Dorfe Aich gegenüber, ragen seltsame Felsen empor, die das Volk: Hans Heilings Felsen nennt und wovon es heißt: vor alten Zeiten habe ein gewisser Mann, namens Hans Heiling, im Lande gelebt, der genug Geld und Gut besessen, aber sich jeden Freitag in sein Haus verschlossen und diesen Tag über unsichtbar geblieben sei. Dieser Heiling stand mit dem Bösen im Bunde und floh, wo er ein Kreuz sah. Einst soll er sich in ein schönes Mädchen verliebt haben, die ihm auch anfangs zugesagt, hernach aber wieder verweigert worden war. Als diese mit ihrem Bräutigam und vielen Gästen Hochzeit hielt, erschien mitternachts zwölf Uhr Heiling plötzlich unter ihnen und rief laut: „Teufel, ich lösche dir deine Dienstzeit, wenn du mir diese vernichtest!" Der Teufel antwortete: „So bist du mein" und verwandelte alle Hochzeitsleute in Felsensteine. Braut und Bräutigam stehen da, wie sie sich umarmen; die übrigen mit gefalteten Händen. Hans Heiling stürzte vom Felsen in die Eger hinab, die ihn zischend verschlang und kein Auge hat ihn wieder gesehen. Noch jetzt zeigt man die Steinbilder, die Liebenden, den Brautvater und die Gäste; auch die Stelle, wo Heiling hinabstürzte.

Die Jungfrau mit dem Bart

Zu Salfeld mitten im Fluss steht eine Kirche, zu welcher man durch eine Treppe von der nahegelegenen Brücke eingeht, worin aber nicht mehr gepredigt wird. An dieser Kirche ist als Beiwappen oder Zeichen der Stadt in Stein ausgehauen eine gekreuzigte Nonne, vor welcher ein Mann mit einer Geige kniet, der neben sich einen Pantoffel liegen hat. Davon wird folgendes erzählt: Die Nonne war eine Königstochter und lebte zu Salfeld in einem Kloster. Wegen ihrer großen Schönheit verliebte sich ein König in sie und wollte nicht nachlassen, bis sie ihn zum Gemahl nähme. Sie blieb ihrem Gelübde treu und weigerte sich beständig, als er aber immer von neuem in sie drang und sie sich seiner nicht mehr zu erwehren wusste, bat sie endlich Gott, dass er zu ihrer Rettung die Schönheit des Leibes von ihr nähme und ihr Ungestaltheit verliehe; Gott erhörte die Bitte und von Stund an wuchs ihr ein langer, hässlicher Bart. Als der König das sah, geriet er in Wut und ließ sie ans Kreuz schlagen.

Aber sie starb nicht gleich, sondern musste in unbeschreiblichen Schmerzen etliche Tage am Kreuze schmachten. Da kam in dieser Zeit aus sonderlichem Mitleiden ein Spielmann, der ihr die Schmerzen lindern und die Todesnot versüßen wollte. Der hub an und spielte aus seiner Geige, so gut er vermochte, und als er nicht mehr stehen konnte vor Müdigkeit, da kniete er nieder und ließ seine tröstliche Musik ohne Unterlass erschallen. Der heiligen Jungfrau gefiel das so gut, dass sie ihm zum Lohn und

Angedenken einen köstlichen, mit Gold und Edelstein gestickten Pantoffel von dem einen Fuß herabfallen ließ.

Notburga

Im unteren Inntale Tirols liegt das Schloss Rottenburg, auf welchem vor alten Zeiten bei einer adligen Herrschaft eine fromme Magd diente, Notburga genannt. Sie ward mildtätig und teilte, so viel sie immer konnte, unter die Armen aus und weil die habsüchtige Herrschaft damit unzufrieden war, schlugen sie das fromme Mägdlein und jagten es endlich fort. Es begab sich zu armen Bauersleuten auf den nah gelegenen Berg Eben; Gott aber strafte die böse Frau auf Rottenburg mit einem jähen Tod. Der Mann fühlte nun das der Notburga angetane Unrecht und holte sie von dem Berge Eben wieder zu sich nach Rottenburg, wo sie ein frommes Leben führte, bis die Engel kamen und sie in den Himmel abholten. Zwei Ochsen trugen ihren Leichnam über den Innstrom und obgleich sein Wasser sonst wild tobt, so war er doch, als die Heilige sich näherte, ganz sanft und still. Sie wurde in der Kapelle des heiligen Ruprecht beigesetzt.

Am Neckar geht eine andere Sage. Noch stehen an diesem Flusse Türme und Mauern der alten Burg Hornberg, darauf wohnte vorzeiten ein mächtiger König mit seiner schönen und frommen Tochter Notburga. Diese liebte einen Ritter und hatte sich mit ihm verlobt; er war aber ausgezogen in fremde Lande und nicht wiedergekommen. Da beweinte sie Tag und Nacht seinen Tod und schlug jeden anderen Freier aus, ihr Vater aber war hartherzig und achtete wenig auf ihre Trauer. Einmal sprach er zu ihr: „Bereite deinen Hochzeitsschmuck, in drei Tagen kommt ein Bräutigam, den ich dir ausgewählt habe." Notburga aber sprach in ihrem Herzen: „Eh will ich fortgehen so weit der Himmel blau ist, als ich meine Treue brechen sollte."

In der Nacht darauf, als der Mond aufgegangen war, rief sie einen treuen Diener und sprach zu ihm: „Führe mich die Waldhöhe hinüber nach der Kapelle St. Michael, da will ich, verborgen vor meinem Vater, im Dienste Gottes das Leben beschließen." Als sie auf der Höhe waren, rauschten die Blätter und ein schneeweißer Hirsch kam herzu und stand neben Notburga still. Da setzte sie sich auf seinen Rücken, hielt sich an sein Geweih und ward schnell von ihm fortgetragen. Der Diener sah, wie der Hirsch mit ihr über den Neckar leicht und sicher hinüberschwamm und drüben verschwand.

Am andern Morgen, als der König seine Tochter nicht fand, ließ er sie überall suchen und schickte Boten nach allen Gegenden aus, aber sie kehrten zurück, ohne eine Spur gefunden zu haben; und der treue Diener wollte sie nicht verraten. Aber als es Mittagszeit war, kam der weiße Hirsch auf Hornberg zu ihm und als er ihm Brot reichen wollte, neigte er seinen Kopf, damit er es ihm an das Geweih stecken möchte. Dann sprang er fort und brachte es der Nortburga hinaus in die Wildnis und so kam er jeden Tag und erhielt Speise für sie; viele sahen es, aber niemand wusste, was es zu bedeuten hatte, als der treue Diener.

Endlich bemerkte der König den weißen Hirsch und zwang dem Alten das Geheimnis ab. Andern Tags zur Mittagszeit setzte er sich zu Pferd, und als der Hirsch wieder die Speise zu holen kam und damit forteilte, jagte er ihm nach, durch den Fluss hindurch, bis zu einer Felsenhöhle, in welche das Tier sprang. Der König stieg ab und ging hinein, da fand er seine Tochter mit gefalteten Händen vor einem Kreuz kniend, und neben ihr ruhte der weiße Hirsch. Da sie vom Sonnenlicht nicht mehr berührt worden, war sie totenblass, also dass er vor ihrer Gestalt erschrak. Dann sprach er: „Kehre mit nach Hornberg zurück"; aber sie antwortete: „Ich habe Gott mein Leben gelobt und suche nichts mehr bei den Menschen." Was er noch sonst sprach, sie war nicht zu bewegen und gab keine andere Antwort. Da geriet er in Zorn und wollte sie wegziehen, aber sie hielt sich am Kreuz, und als er Gewalt brauchte, löste sich der Arm, an welchem er sie gefasst, vom Leibe und blieb in seiner Hand. Da ergriff ihn ein Grausen, dass er fort eilte und sich nimmer wieder der Höhle zu nähern begehrte.

Als die Leute hörten, was geschehen war, verehrten sie Notburga als eine Heilige. Büßende Sünder schickte der Einsiedler bei der St. Michael-Kapelle, wenn sie bei ihm Hilfe suchten, zu ihr: sie betete mit ihnen und nahm die schwere Last von ihrem Herzen. Im Herbst, als die Blätter fielen, kamen die Engel und trugen ihre Seele in den Himmel; die Leiche hüllten sie in ein Totengewand und schmückten sie, obgleich alle Blumen verwelkt waren, mit blühenden Rosen. Zwei schneeweiße Stiere, die noch kein Joch auf dem Nacken gehabt, trugen sie über den Fluss ohne die Hufe zu benetzen und die Glocken in den nahliegenden Kirchen fingen von selbst an zu läuten. So ward der Leichnam zur St. Michael-Kapelle gebracht und dort begraben.In der Kirche des Dorfes Hochhausen am Neckar steht noch heute das Bild der heil. Notburga in Stein gehauen. Auch die Notburgahöhle, gemeinlich Jungfernhöhle geheißen, ist noch zu sehen und jedem Kinde bekannt.

Nach einer andern Erzählung war es König Dagobert, der zu Mosbach Hof gehalten, welchem seine Tochter Notburga entfloh, weil er sie mit einem heidnischen Wenden vermählen wollte. Sie ward mit Kräutern und Wurzeln von einer Schlange in der Felsenhöhle ernährt, bis sie darin starb. Schweifende Irrlichter verrieten das verstohlene

Grab und die Königstochter ward erkannt. Den mit ihrer Leiche beladenen Wagen zogen zwei Stiere fort und blieben an dem Orte stehen, wo sie jetzt begraben liegt und den eine Kirche umschließt. Hier geschehen noch viele Wunder. Das Bild der Schlange befindet sich gleichfalls an dem Stein zu Hochhausen. Auf einem Altargemälde daselbst ist aber Notburga mit ihren schönen Haaren vorgestellt, wie sie zur Sättigung der väterlichen Rachgier enthauptet wird.

Der heilige See der Hertha

Die Rendigner, Avionen, Angeln, Wariner, Endosen, Suaxthonen und Nuithonen, deutsche Völker, zwischen Flüssen und Wäldern wohnend, verehren insgesamt die Hertha, d.i. Mutter Erde, und glauben, dass sie sich in die menschlichen Dinge mischt und zu den Völkern gefahren kommt. Auf einem Eiland des Meeres liegt ein unentweihter, ihr geheiligter Wald, da steht ihr Wagen, mit Decken umhüllt, nur ein einziger Priester darf ihm nahen. Dieser weiß es, wann die Göttin im heiligen Wagen erscheint; zwei weibliche Rinder ziehen sie fort, und jener folgt ehrerbietig nach. Wohin sie zu kommen und zu herbergen würdigt, da ist froher Tag und Hochzeit; da wird kein Krieg gestritten, keine Waffe ergriffen, das Eisen verschlossen.

Nur Friede und Ruhe ist dann bekannt und gewünscht; das währt solange, bis die Göttin genug unter den Menschen gewohnt hat, und der Priester sie wieder ins Heiligtum zurückführt. In einem abgelegenen See wird Wagen, Decke und Göttin selbst gewaschen; die Knechte aber, die dabei dienen, verschlingt der See alsbald.

Ein heimlicher Schrecken und eine heilige Unwissenheit sind daher stets über das gebreitet, was nur diejenigen anschauen, die gleich darauf sterben.

Fridigern

Fridigerns Taten priesen die Goten in Liedern. Von ihm ist folgende Sage aufbehalten worden. Als die Westgoten noch keinen festen Wohnsitz hatten, brach Hungersnot über sie ein. Fridigern, Alatheus und Safrach, ihre Vorsteher und Anführer, von dieser Plage bedrängt, wandten sich an die Anführer des römischen Heeres und handelten um Lebensmittel. Die Römer aus schändlichem Geiz verkauften ihnen Schaf- und Ochsenfleisch, ja selbst das Aas von Hunden und andern unreinen Tieren zu teurem Preis, so dass diese für ein Brot einen Knecht, für ein Fleisch zehn Pfund (Geld) erhandelten. Die Goten gaben, was sie hatten; als die Knechte und ihre Habe ausgingen, handelte der grausame Käufer um die Söhne der Eltern. Die Goten erwogen, es sei besser die Freiheit aufzugeben als das Leben, und barmherzigen einen durch Verkauf zu erhalten, als durch Behalten zu töten. Unterdessen ersann Lupicinus, der Römer Anführer, einen Verrat, und ließ Fridigern zum Gastmahl laden. Dieser kam arglos mit kleinem Gefolge; als er inwendig speiste, drang das Geschrei von Sterbenden zu seinem Ohr. In einer andern Abteilung der Wohnung, wo Alatheus und Safrach speisten, waren Römer über sie hergefallen und wollten sie morden. Da erkannte Fridigern sogleich den Verrat, zog das Schwert mitten im Gastmahl, und verwegen und schnell eilte er seinen Gesellen zu Hilfe. Glücklich rettete er noch ihr Leben, und nun rief er alle Goten zur Vernichtung der Römer auf, denen es erwünscht war, lieber in der Schlacht als vor Hunger zu fallen. Dieser

Tag machte dem Hunger der Goten und der ruhigen Herr-
schaft der Römer ein Ende, und die Goten walteten in dem
Lande, das sie besetzt hatten, nicht wie Ankömmlinge und
Fremde, sondern wie Herren und Herrscher.

Alarichs Grab

Die Westgoten wollten durch Italien und Afrika wandern, unterwegs starb plötzlich Alarich ihr König, den sie über die Maßen liebten. Da huben sie an und leiteten den Fluss Barent, der neben der Stadt Consentina vom Fuße des Berges fließt, aus seinem Bette ab. Mitten in dem Bett ließen sie nun durch einen Haufen Gefangener ein Grab graben, und in den Schoß der Grube bestatteten sie, nebst vielen Kostbarkeiten, ihren König Alarich. Wie das geschehen war, leiteten sie das Wasser wieder ins alte Bett zurück und töteten, damit die Stätte von niemand verraten würde, alle die, welche das Grab gegraben hatten.

Sage von Gelimer

Zur Zeit da die Vandalen Afrika besetzt hatten, war in Karthago ein altes Sprichwort unter den Leuten: dass G. das B. hernach aber B. das G. verfolgen würde. Dieses legte man von Genserich aus, der den Bonifacius, und Belisarius, der den Gelimer überwunden hatte. Dieser Gelimer wäre sogleich gefangen genommen worden, wenn sich nicht folgender Umstand zugetragen hätte: Belisarius beauftragte damit den Johannes, in dessen Gefolge sich Uliares, ein Waffenträger befand. Uliares ersah ein Vöglein auf einem Baume sitzen und spannte den Bogen; weil er aber in Wein berauscht und seiner Sinne nicht recht mächtig war, fehlte er den Vogel und traf seinen Herrn in den Nacken. Johannes starb an der Wunde, und Gelimer hatte Zeit zu fliehen. Gelimer entrann und langte noch denselben Tag bei den Maurusiern an. Belisarius folgte ihm nach, und schloss ihn ganz hinten in Numidien auf einem kleinen Berge ein. So wurde nun Gelimer mitten im Winter hart belagert und litt an allem Lebensunterhalt Mangel, denn Brot backen die Maurusier nicht, sie haben keinen Wein und kein Öl, sondern essen, unvernünftigen Tieren gleich, unreifes Korn und Gerste. Da schrieb der Vandalenkönig einen Brief an Pharas, Hüter des griechischen Heeres, und bat um drei Dinge: eine Laute, ein Brot und einen Schwamm. Pharas fragte den Boten: warum das? Der Bote antwortete: „Das Brot will Gelimer essen, weil er keines gesehen, seit er auf dieses Gebirge stieg; mit dem Schwamm will er seine roten Augen waschen, die er die

Zeit über nicht gewaschen hat; auf der Laute will er ein Lied spielen und seinen Jammer beweinen." Pharas aber erbarmte sich des Königs und sandte ihm die Bedürfnisse.

Gelimer in silberner Kette

Gelimer nach verlorener Schlacht rettete sich nur mit zwölf Vandalen in eine sehr befestigte Burg, worin er von Belisarius belagert wurde.

Als er nun keinen weiteren Ausweg sah, wollte er sich auf die Bedingung ergeben, dass er frei und ohne Fesseln vor das Angesicht des Kaisers geführt würde. Belisarius sagte ihm zu, weder mit Seilen noch Stricken noch eisernen Ketten sollte er gebunden werden. Gelimer verließ sich auf dieses Wort, aber Belisarius ließ ihn mit einer silbernen Kette binden, und führte ihn im Triumphe nach Konstantinopel. Hier wurde der unglückliche König von den Höflingen gehöhnt und beschimpft; er flehte zum Kaiser: man möge ihm das Pferd geben, das er vorher gehabt, so wolle er es auf einmal mit Zwölfen von denen aufnehmen, die ihn angespien und ihm Ohrschläge gegeben hatten, „dann soll ihre Feigheit und mein Mut kund werden." Der Kaiser ließ es geschehen, und Gelimer besiegte zwölf Jünglinge die es mit ihm aufnahmen.

Die Störche

Als Attila schon lange die Stadt Aquileja belagerte, und die Römer hartnäckig widerstanden, fing sein Heer an zu murren und wollte von dannen ziehen. Da geschah es, dass der König im Zweifel, ob er das Lager aufheben oder noch länger harren sollte, um die Mauern der Stadt her wandelte und sah, wie die weißen Vögel, nämlich die Störche, welche in den Giebeln der Häuser nisteten, ihre Jungen aus der Stadt trugen, und gegen ihre Gewohnheit auswärts ins Land schleppten. Attila, als ein weiser Mann, rief seinen Leuten und sprach: „Geht, diese Vögel, die der Zukunft kundig sind, verlassen die bald untergehende Stadt und die einstürzenden Häuser!" Da schöpfte das Heer neuen Mut, und sie bauten Werkzeuge und Mauerbrecher; Aquileja fiel im Sturm und ging in den Flammen auf; diese Stadt wurde so verheert, dass kaum die Spuren übrig blieben, wo sie gestanden hatte.

Der Fisch auf der Tafel

Theoderich, der Ostgoten König, nachdem er lange Jahre in Ruhm und Glanz geherrscht hatte, befleckte sich mit einer Grausamkeit am Ende seines Lebens. Er ließ seine treuen Diener Symmachus und den weisen Boethius, auf die Verleumdung von Neidern, hinrichten und ihre Güter einziehen.

Als nun Theoderich wenige Tage darauf zu Mittag aß, geschah es, dass seine Leute den Kopf eines großen Fisches zur Speise auftrugen. Kaum erblickte ihn der König auf der Schüssel liegen, so schien ihm der Kopf der des enthaupteten Symmachus zu sein, wie er die Zähne in die Unterlippe biss, und mit verdrehten Augen drohend schaute. Erschrocken und von Fieberfrost ergriffen eilte der König ins Bett, beweinte seine Untat, und verschied in kurzer Zeit. Dies war die erste und letzte Ungerechtigkeit, die er begangen hatte, dass er den Symmachus und Boethius verurteilte, ohne wider seine Gewohnheit die Sache vorher untersucht zu haben.

Amalaberga von Thüringen

In Thüringen herrschten drei Brüder, Baderich, Hermenfried und Berthar. Den jüngsten tötete Hermenfried auf Anstiften seiner Gemahlin Amalaberga, einer Tochter Theoderichs. Darauf ruhte sie nicht, sondern reizte ihn auch, den ältesten wegzuräumen, und soll auf folgende listige Weise den Bruderkrieg erweckt haben. Als ihr Gemahl eines Tages zum Mahl kam, war der Tisch nur halb gedeckt. Hermenfried fragte: was dies zu bedeuten hätte? „Wer nur ein halbes Königreich besitzt", sprach sie, „der muss sich auch mit einer halb gedeckten Tafel begnügen."

Totila versucht den Heiligen

Als Totila, König der Goten, vernommen hatte, dass auf dem heiligen Benedictus ein Geist der Weissagung ruhe, brach er auf und ließ seinen Besuch in dem Kloster ankündigen. Er wollte aber versuchen, ob der Mann Gottes die Gabe der Weissagung wirklich hätte. Einem seiner Waffenträger, namens Riggo, gab er seine Schuhe, und ließ ihm königliche Kleider antun; so sollte er sich in Gestalt des Königs dem Heiligen nahen. Drei andere Herren aus dem Gefolge, Wulderich, Ruderich und Blindin, mussten ihn begleiten, seine Waffen tragen, und sich nicht anders anstellen, als ob er der wahre König wäre. Riggo begab sich nun in seinem prächtigen Gewande unter dem Zulaufen vieler Leute in das Münster, wo der Mann Gottes in der Ferne saß. Sobald Benedictus den Kommenden in der Nähe sah, so dass er von ihm gehört werden konnte, rief er aus: „Lege ab, mein Sohn, lege ab, was du trägst ist nicht dein!" Riggo sank zu Boden vor Schrecken, dass er sogleich entdeckt worden war, und alle seines Begleitung beugte sich mit ihm. Darauf erhuben sie sich wieder, wagten aber nicht dem Heiligen näher zu gehen, sondern kehrten zitternd zu ihrem König zurück mit der Nachricht, wie ihnen geschehen wäre. Nunmehr machte sich Totila selbst auf, und beugte sich vor dem in der Weite sitzenden Benedictus nieder. Dieser trat hinzu, hob den König auf, tadelte ihn über seinen grausamen Heereszug, und verkündete in wenigen Worten die Zukunft: „Du tust viel Böses und hast viel Böses getan; jetzt lass ab vom Unrecht; du wirst in Rom einziehen, über das Meer gehen, neun Jahre herrschen und im zehnten sterben." Totila erschrak heftig, beurlaubte sich von dem Heiligen, und war seitdem nicht so grausam mehr.

Der Ausgang der Longobarden

Die Winiler, nachmals Longobarden genannt, hatten sich in dem Eiland Skandinavien so vermehrt, dass sie nicht länger zusammen wohnen konnten, weshalb sie sich in drei Haufen abteilten und losten. Wer nun das Los zog, der Haufen sollte das Vaterland verlassen und sich eine fremde Heimat aufsuchen.

Als das Los geworfen war und der dritte Teil der Winiler aus der Heimat in die Fremde ziehen musste, führten den Haufen zwei Brüder an, Ibor und Aio mit Namen, junge und frische Männer. Ihre Mutter aber hieß Gambara, eine schlaue und kluge Frau, auf deren weisen Rat in Nöten sie ihr Vertrauen setzten. Wie sie sich nun auf ihrem Zug ein anderes Land suchten, das ihnen zur Niederlassung gefiele, gelangten sie in die Gegend, die Schoringen hieß, da weilten sie einige Jahre. Nah dabei wohnten die Vandalen, ein raues und siegstolzes Volk, die hörten von ihrer Ankunft und sandten Boten an sie: dass die Winiler entweder den Vandalen Zoll gaben, oder sich zum Streit rüsteten. Da ratschlagten Ibor und Aio mit Gambara ihrer Mutter, und wurden eins, dass es besser sei, die Freiheit zu verfechten, als sie mit dem Zoll zu beflecken; und ließen das den Vandalen sagen. Nun waren die Winiler zwar mutige und kräftige Helden an Zahl aber gering.

Die Vandalen traten vor Wodan, und flehten um Sieg über die Winiler. Der Gott antwortete: „Denen will ich Sieg verleihen, die ich bei Sonnenaufgang zuerst sehe." Gambara aber trat vor Freia, Wodans Gemahlin, und flehte

113

um Sieg für die Winiler. Da gab Freia den Rat: Die Winiler Frauen sollten ihre Haare auflösen, und um das Gesicht in Bartes Weise zurichten, dann aber frühmorgens mit ihren Männern sich dem Wodan zu Gesicht stellen, vor das Fenster gen Morgen hin, aus dem er zu schauen pflegte. Sie stellten sich also dahin, und als Wodan ausschaute bei Sonnenaufgang, rief er: „Was sind das für Langbärte?" Freia fügte hinzu: „Wem du Namen gabst, dem musst du auch Sieg geben." Auf diese Art verlieh Wodan den Winilern den Sieg, und seit der Zeit nannten sich die Winiler Langbärte (Longobarden).

Wilhelm Tell

Es fügte sich, dass des Kaisers Landvogt, genannt der
Geßler, gen Uri fuhr; als er da eine Zeit wohnte, ließ
er einen Stecken unter der Linde, da jedermann vorbei-
gehen musste, richten, legte einen Hut drauf, und hatte
einen Knecht zur Wacht dabei sitzen. Darauf gebot er
durch öffentlichen Ausruf: wer der wäre, der da vorüber
ginge, sollte sich dem Hut neigen, als ob der Herr selber
zugegen sei; und übersähe es einer und täte es nicht, den
wollte er mit schweren Bußen strafen. Nun war ein frommer Mann im Lande, hieß Wilhelm Tell, der ging vor dem
Hut vorüber und neigte sich keinmal: da verklagte ihn
der Knecht, der des Hutes wartete, bei dem Landvogt.
Der Landvogt ließ den Tell vor sich bringen und fragte:
warum er sich vor dem Stecken und Hut nicht neige, als
doch geboten sei? Wilhelm Tell antwortete: „Lieber Herr,
es ist von ungefähr geschehen; dachte nicht, dass es euer
Gnaden so hoch achten und fassen würde; wär ich witzig,
so hieß ich anders denn als Tell." Nun war der Tell gar ein
guter Schütz, wie man sonst keinen im Lande fand, hatte
auch hübsche Kinder, die ihm lieb waren. Da sandte der
Landvogt, ließ die Kinder holen, und als sie gekommen
waren, fragte er Tellen, welches Kind ihm das allerliebste
wäre? Sie sind mir alle gleich lieb. Da sprach der Herr:
„Wilhelm, du bist ein guter Schütz, und find't man nicht
deinesgleichen; das wirst du mir jetzt bewähren; denn du
sollst deiner Kinder einem den Apfel vom Haupte schie-
ßen. Tust du das, so will ich dich für einen guten Schützen

achten." Der gute Tell erschrak, flehte um Gnade, und dass man ihm solches erließe, denn es wäre unnatürlich; was er ihm sonst hieße, wolle er gern tun. Der Vogt aber zwang ihn mit seinen Knechten, und legte dem Kinde selbst den Apfel aufs Haupt. Nun sah Tell, dass er nicht ausweichen konnte, nahm den Pfeil, und steckte ihn hinten in seinen Köcher, den andern Pfeil nahm er in die Hand, spannte die Armbrust, und bat Gott, dass er sein Kind behüten wolle; zielte und schoss glücklich ohne Schaden den Apfel von des Kindes Haupt. Da sprach der Herr, das wäre ein Meisterschuss; aber eins wirst du mir sagen: „Was bedeutet, dass du den ersten Pfeil hinten in den Köcher stießest?" Tell sprach: „Das ist so Schützen Gewohnheit." Der Landvogt ließ aber nicht ab, und wollte es eigentlich hören; zuletzt sagte Tell, der sich fürchtete, wenn er die Wahrheit offenbarte: wenn er ihm das Leben sicherte, wolle er's sagen. Als das der Landvogt getan, sprach Tell: „Nun wohl! Sintemalen Ihr mich des Lebens gesichert habt, will ich das Wahre sagen." Und fing an und sagte: „Ich hab es darum getan, hätte ich des Apfels gefehlt, und mein Kindlein geschossen, so wollte ich Euer mit dem andern Pfeil nicht gefehlt haben." Da das der Landvogt vernahm, sprach er: „Dein Leben ist dir zwar zugesagt; aber an ein Ende will ich dich legen, da dich Sonne und Mond nimmer bescheinen"; ließ ihn fangen und binden, und in denselben Nachen legen, auf dem er wieder nach Schwyz schiffen wollte. Wie sie nun auf dem See fuhren, und kamen bis gen Axen hinaus, stieß sie ein grausamer starker Wind an, dass das Schiff schwankte, und sie elend zu verderben meinten; denn keiner wusste mehr dem Fahrzeug vor den Wellen zu steuern. Indem sprach einer der Knechte zum Landvogt: „Herr, hießet ihr den Tell aufbinden, der ist ein starker, mächtiger Mann, und versteht sich wohl auf das Wetter: so möchten wir wohl aus der Not entrinnen." Sprach der Herr, und rief dem Tell: „Willst du uns helfen und dein Bestes tun, dass wir von hinnen kommen? So will ich dich heißen aufbinden." Da sprach der Tell: „Ja, gnädiger Herr, ich will's gerne tun, und getraue mir's." Da ward Tell aufgebunden, und stand an dem Steuer und fuhr redlich dahin; doch so lugte er allenthalben auf seinen Vorteil und auf seine Armbrust, die nah bei ihm am Boden lag. Da er nun kam gegen eine große Platte – die man seither stets genannt hat „die Tells Platte" und noch heut bei Tag also nennet – deucht es ihm Zeit zu sein, dass er entrinnen konnte; rief allen munter zu, fest anzuziehen, bis sie auf die Platte kämen, denn wenn sie davor kämen, hätten sie das Böseste überwunden. Also zogen sie der Platte nah, da schwang er mit Gewalt, da er ein mächtig starker Mann war, den Nachen, griff seine Armbrust und tat einen Sprung auf die Platte, stieß das Schiff fort, und ließ es schweben und schwanken auf dem See. Lief durch Schwyz im dunklen Gebirg, bis dass er kam gen Küßnacht in die hohle Gasse; da war er vor dem Herrn hingekommen, und wartete sein daselbst. Und als der Landvogt mit seinen Dienern geritten kam, stand Tell hinter einem Staudenbusch, und hörte allerlei Anschläge, die gegen ihn gingen, spannte die Armbrust auf, und schoss einen Pfeil in den Herrn, dass er tot umfiel. Da lief Tell über die Gebirge gen Uri, fand seine Gesellen, und sagte ihnen, wie es ihm ergangen war.

Heinrich der Löwe

Zu Braunschweig stehet aus Erz gegossen das Denkmal eines Helden, zu dessen Füßen ein Löwe liegt; auch hängt im Dom daselbst eines Greifen Klaue. Davon geht folgende Sage: Vorzeiten zog Herzog Heinrich, der edle Welf, nach Abenteuern aus. Als er in einem Schiff das wilde Meer befuhr, erhub sich ein heftiger Sturm und verschlug den Herzog; lange Tage und Nächte irrte er, ohne Land zu finden. Bald fing den Reisenden die Speise an auszugehen, und der Hunger quälte sie schrecklich. In dieser Not wurde beschlossen, Lose in einen Hut zu werfen; und wessen Los gezogen ward, der verlor das Leben und musste der andern Mannschaft mit seinem Fleische zur Nahrung dienen; willig unterwarfen sich diese Unglücklichen, und ließen sich für den geliebten Herrn und ihre Gefährten schlachten. So wurden die übrigen eine Zeitlang gefristet; doch schickte es die Vorsehung, dass niemals des Herzogs Los herauskam. Aber das Elend wollte kein Ende nehmen; zuletzt war bloß der Herzog mit einem einzigen Knecht noch auf dem ganzen Schiffe lebendig, und der schreckliche Hunger hielt nicht stille. Da sprach der Fürst: lass uns beide losen, und auf wen es fällt, von dem speise sich der andere. Über diese Zumutung erschrak der treue Knecht, doch so dachte er, es würde ihn selbst betreffen und ließ es zu; siehe, da fiel das Los auf seinen edlen, liebwerten Herrn, den jetzt der Diener töten sollte. Da sprach der Knecht: das tu ich nimmermehr, und wenn alles verloren ist, so hab ich noch ein andres ausgesonnen; ich will Euch in einen ledernen Sack einnähen, wartet dann, was geschehen wird. Der Herzog gab seinen Willen dazu; der Knecht nahm die Haut eines Ochsen, den sie vordem auf dem Schiffe gespeist hatten, wickelte den Herzog darein und nähte sie zusammen; doch hatte er sein Schwert neben ihn hineingesteckt. Nicht lange, so kam der Vogel Greif geflogen, fasste den ledernen Sack in die Klauen und trug ihn, durch die Lüfte über das weite Meer bis in sein Nest. Als der Vogel dies bewerkstelligt hatte, sann er auf einen neuen Fang, ließ die Haut liegen und flog wieder aus. Mittlerweile fasste Herzog Heinrich das Schwert und zerschnitt die Nähte des Sackes; als die jungen Greifen den lebendigen Menschen erblickten, fielen sie gierig und mit Geschrei über ihn her. Der teure Held wehrte sich tapfer und schlug sie sämtlich zu Tode. Als er sich aus dieser Not befreit sah, schnitt er eine Greisenklaue ab, die er zum Andenken mit sich nahm, stieg aus dem Neste den hohen Baum hernieder, und befand sich in einem weiten wilden Wald. In diesem Walde ging der Herzog eine gute Weile fort; da sah er einen fürchterlichen Lindwurm wider einen Löwen streiten, und der Löwe schwebte in großer Not zu unterliegen. Weil aber der Löwe insgemein für ein edles und treues Tier gehalten wird, und der Wurm für ein böses, giftiges, säumte Herzog Heinrich nicht, sondern sprang dem Löwen mit seiner Hilfe bei. Der Lindwurm schrie, dass es durch den Wald erscholl, und wehrte sich lange Zeit; endlich gelang es dem Helden, ihn mit seinem guten Schwerte zu töten. Hieraus nahte sich der Löwe, legte sich zu des Herzogs Füßen neben den Schild auf den Boden, und verließ ihn nimmermehr von dieser Stunde an. Denn als der Herzog nach Verlauf einiger Zeit, während welcher das treue Tier ihn mit gefangenem Hirsch und Wild ernähret hatte, überlegte, wie er aus dieser Einöde und der Gesellschaft des Löwen wieder unter die Menschen gelangen könnte, baute er sich eine Horde aus zusammengelegtem Holz mit Reis durchflechten, und setzte sie aufs Meer. Als nun einmal der Löwe in den Wald zu jagen gegangen war, bestieg Heinrich sein Fahrzeug und stieß vom Ufer ab. Der Löwe aber, welcher zurückkehrte und seinen Herrn nicht mehr fand, kam zum Gestade und erblickte ihn aus weiter Ferne; alsobald sprang er in die Wogen, und schwamm solange, bis er an dem Floß bei dem Herzog war, zu dessen Füßen er sich ruhig niederlegte. Hierauf fuhren sie eine Zeitlang auf den Meereswellen, bald überkam sie Hunger und Elend. Der Held betete und wachte, hatte Tag und Nacht keine Ruh; da erschien ihm der böse Teufel und sprach: „Herzog, ich bringe dir Botschaft: du schwebst hier in Pein und Not auf dem offenen Meere, und daheim zu Braunschweig ist lauter Freude und Hochzeit, heute an diesem Abend hält ein Fürst aus fremden Landen Hochzeit mit deinem Weibe; denn die gesetzten sieben Jahre seit deiner Ausfahrt sind verstrichen." Traurig versetzte Heinrich: „das möge wahr sein, doch wolle er sich zu Gott lenken, der alles wohl mache." „Du redest noch viel von Gott", sprach der Versucher, „der hilft dir nicht aus diesen Wasserwogen; ich aber will dich noch heute zu deiner Gemahlin führen, wofern du mein sein willst." Sie hatten ein lang Gespräche, der Herr wollte sein Gelübde gegen Gott nicht brechen; da schlug ihm der Teufel vor, er wolle ihn ohne Schaden samt dem Löwen noch heut Abend auf den Giersberg vor Braunschweig tragen und hinlegen, da solle er seiner warten; finde er ihn nach der Zurückkunft schlafend, so sei er ihm und seinem Reiche verfallen.

Der Herzog, welcher von heißer Sehnsucht nach seiner geliebten Gemahlin gequält wurde, ging dieses ein, und hoffte auf des Himmels Beistand wider alle Künste des Bösen. Alsbald ergriff ihn der Teufel, führte ihn schnell durch die Lüste bis vor Braunschweig, legte ihn auf dem

Giersberg nieder und rief: „Nun wache, Herr! ich kehre bald wieder." Heinrich aber war aufs höchste ermüdet, und der Schlaf setzte ihm mächtig zu. Nun fuhr der Teufel zurück, und wollte den Löwen wie er verheißen hatte, auch abholen; es währte nicht lange, so kam er mit dem treuen Tiere daher geflogen. Als nun der Teufel noch aus der Luft herunter, den Herzog in Müdigkeit versenkt auf dem Giersberge ruhen sah, freute er sich schon im Voraus; allein der Löwe, der seinen Herrn für tot hielt, hub laut zu schreien an, dass Heinrich in demselben Augenblicke erwachte. Der böse Feind sah nun sein Spiel verloren, und bereute es zu spät, das wilde Tier herbeigeholt zu haben; er warf den Löwen aus der Luft herab zu Boden, dass es krachte. Der Löwe kam glücklich auf den Berg zu seinem Herrn, welcher Gott dankte und sich aufrichtete, um, weil es Abend werden wollte, hinab in die Stadt Braunschweig zu gehen.

Nach der Burg war sein Gang, und der Löwe folgte ihm immer nach, großes Getöse scholl ihm entgegen. Er wollte in das Fürstenhaus treten, da wiesen ihn die Diener zurück. „Was heißt das Getön und Pfeifen", rief Heinrich aus, „sollte doch wahr sein, was mir der Teufel gesagt? Und ist ein fremder Herr in diesem Haus?" „Kein fremder", antwortete man ihm, „denn er ist unsrer gnädigen Frauen verlobt, und bekommt heute das Braunschweiger Land." „So bitte ich", sagte der Herzog, „die Braut um einen Trunk Weins, mein Herz ist mir ganz matt." Da lief einer von den Leuten hinauf zu der Fürstin und hinterbrachte, dass ein fremder Gast, dem ein Löwe folge, um einen Trunk Wein bitten lasse. Die Herzogin verwunderte sich, füllte ihm ein Geschirr mit Wein und sandte es dem Pilgrim. „Wer magst du wohl sein", sprach der Diener, „dass du von diesem edlen Wein zu trinken begehrst, den man allein der Herzogin einschenkt?" Der Pilgrim trank, nahm seinen goldnen Ring, und warf ihn in den Becher, und hieß diesen der Braut zurücktragen. Als sie den Ring erblickte, worauf des Herzogs Schild und Name geschnitten war, erbleichte sie, stand eilends auf und trat an die Zinne, um nach dem Fremdling zu schauen. Sie ward den Herrn inne, der da mit dem Löwen saß; darauf ließ sie ihn in den Saal entbieten und fragen: wie er zu dem Ringe gekommen wäre, und warum er ihn in den Becher gelegt hätte? „Von keinem hab ich ihn bekommen, sondern ihn selbst genommen, es sind nun länger als sieben Jahre; und den Ring hab ich hingelegt, wo er billig hingehört." Als man der Herzogin diese Antwort hinterbrachte, schaute sie den Fremden an, und fiel vor Freuden zur Erde, weil sie ihren geliebten Gemahl erkannte; sie bot ihm ihre weiße Hand und hieß ihn willkommen. Da entstand große Freude im ganzen Saal; Herzog Heinrich setzte sich zu seiner Gemahlin an den Tisch; dem jungen Bräutigam aber wurde ein schönes Fräulein aus Franken angetraut. Hierauf regierte Herzog Heinrich lange und glücklich in seinem Reich. Als er in hohem Alter starb, legte sich der Löwe auf des Herrn Grab, und wich nicht davon, bis er auch verschied. Das Tier liegt auf der Burg begraben, und seiner Treue zu Ehren wurde ihm eine Säule errichtet.

Ankunft der Angeln und Sachsen

Als die Briten grausame Hungersnot und schwere Krankheit erfahren hatten, und aus der Art geschlagen, nicht mehr stark genug waren, um die Einbrüche fremder Völker, und der wilden Tiere abzuwenden, ratschlagten sie, was zu tun wäre? Und beschlossen mit Wyrtgeorn (Vortigern) ihrem König, dass sie der Sachsen Volk über die See sich zur Hilfe rufen wollten. Der Angeln und Sachsen Volk wurde geladen und kam nach Britenland in drei großen Schiffen. Es bekam im Ostteil des Eilandes Erde angewiesen, die es bebauen und des Gebotes des Königs, der sie geladen hatte, gewärtig sein sollte, dass sie Hilfe leisteten, und wie für ihr Land zu kämpfen und fechten hätten. Darauf besiegten die Sachsen die Feinde der Briten, und sandten Boten in ihre Heimat, dass sie den großen Sieg geschlagen hätten, und das Land schön und fruchtbar, das Volk der Briten aber träg und faul wäre. Da sandten sie aus Sachsenland einen noch mächtigeren Haufen. Als die dazu gekommen waren, wurde ein unüberwindliches Volk daraus. Die Briten liehen und gaben ihnen Erde neben ihnen, damit sie für das Heil und den Frieden ihres Grundes streiten und gegen ihre Widersacher kämpfen sollten; für das was sie gewonnen, gaben sie ihnen Sold und Speise. Sie waren aus drei der stärksten deutschen Völker gekommen, den Sachsen, Angeln und Jüten. Von den Jüten stammen in Britannien die Cantwaren und Wichtsaten ab; von den Altsachsen: die Ostsachsen, Südsachsen und Westsachsen; von den Angeln: die Ostangeln, Mittelangeln, Mercier und all Nordhumbergeschlecht. Das Land der Angeln in Deutschland lag zwischen den Jüten und Sachsen, und es soll der Sage nach, von der Zeit an, dass sie daraus gingen, wüst und unbewohnt geblieben sein. Ihre Führer und Herzöge waren zwei Brüder, Hengst und Horsa; sie waren Wichtgisels Söhne, dessen Vater hieß Wicht, und Wichts Vater Woden, von dessen Stamm vieler Länder Könige ihren Ursprung herleiteten. Das Volk aber begann sich auf der britischen Insel bald zu mehren, und wurde der Schrecken der Einwohner.

Der Lombardische Spielmann

Als Karl vor hatte, den König Desiderius mit Krieg zu überziehen, kam ein lombardischer Spielmann zu den Franken, und sang ein Lied folgenden Inhalts: „Welchen Lohn wird der empfangen, der Karl in das Land Italien führt auf Wegen, wo kein Spieß gegen ihn aufgehoben, kein Schild zurückgestoßen, und keiner seiner Leute verletzt werden soll?" Als das Karl zu Ohren kam, berief er den Mann zu sich, und versprach ihm alles, was er fordern würde, nach erlangtem Sieg zu gewähren.

Das Heer wurde zusammenberufen und der Spielmann musste vorausgehen. Er wich aber aus allen Straßen und Wegen, und leitete den König über den Rand eines Berges, wo es bis auf den heutigen Tag noch heißt: der Frankenweg. Wie sie von diesem Berg niederstiegen in die gavenische Ebene, sammelten sie sich schnell, und fielen den Langobarden unerwarteter Weise in den Rücken: Desiderius floh nach Pavia, und die Franken überströmten das ganze Land. Der Spielmann aber kam vor den König Karl und ermahnte ihn seines Versprechens. Der König sprach: „Fordere, was du willst!" Darauf antwortete er: „Ich will auf einen dieser Berge steigen, und stark in mein Horn blasen; so weit der Schall gehört werden mag, das Land verleihe mir zum Lohn meiner Verdienste mit Männern und Weibern, die darin sind." Karl sprach: „Es geschehe wie du gesagt hast." Der Spielmann neigte sich, stieg sogleich auf den Berg und blies; stieg sodann herab, ging durch Dörfer und Felder, und wen er fand, fragte er: „Hast du das Horn blasen hören?" Und wer nun antwortete: „Ja, ich hab's gehört", dem versetzte er eine Maulschelle, mit den Worten: du bist mein eigen.

So verlieh ihm Karl das Land, so weit man sein Blasen hatte hören können; der Spielmann, so lange er lebte, und seine Nachkommen besaßen es ruhig, und bis auf den heutigen Tag heißen die Einwohner dieses Landes: die Zusammengeblasenen (transcornati).

Der eiserne Karl

Zur Zeit, als König Karl den Lombardenkönig Desiderius befehdete, lebte an des letzteren Hofe Ogger (Odger, Autchar), ein edler Franke, der vor Karls Ungnade das Land hatte räumen müssen. Wie nun die Nachricht erscholl, Karl rücke mit Heeresmacht heran, standen Desiderius und Ogger auf einem hohen Turm, von dessen Gipfel man weit und breit in das Reich schauen konnte. Das Gepäck rückte in Haufen an; „Ist Karl unter diesem Heer?", fragte König Desiderius. „Noch nicht!", versetzte Ogger. Nun kam der Landsturm des ganzen fränkischen Reichs: „Hierunter befindet sich Karl aber gewiss", sagte Desiderius bestimmt. Ogger antwortete: „Noch nicht, noch nicht." Da tobte der König und sagte: „Was sollen wir anfangen, wenn noch mehrere mit ihm kommen?" „Wie er kommen wird", antwortete jener, „sollst du gewahr werden; was mit uns geschehe, weiß ich nicht." Unter diesen Reden zeigte sich ein neuer Tross. Erstaunt sagte Desiderius: „Darunter ist doch Karl?" „Immer noch nicht", sprach Ogger. Nächstdem erblickte man Bischöfe, Abte, Kaplane mit ihrer Geistlichkeit. Außer sich stöhnte Desiderius: „O lass uns niedersteigen, und uns bergen in der Erde vor dem Angesichte dieses grausamen Feindes." Da erinnerte sich Ogger der herrlichen, unvergleichlichen Macht des Königs Karl aus besseren Zeiten her und brach in die Worte aus: „Wenn du die Saat auf den Feldern wirst starren sehen, den eisernen Po und Tissino mit dunkeln eisenschwarzen Meereswellen die Stadtmauern überschwemmen, dann wisse, dass Karl kommt." Kaum war dies ausgeredet, als sich im Westen eine finstere Wolke zeigte, die den hellen Tag beschattete. Dann sah man den eisernen Karl in einem Eisenhelm, in eisernen Schienen, eisernem Panzer um die breite Brust, eine Eisenstange in der Linken hoch aufreckend. In der Rechten hielt er den Stahl, der Schild war ganz aus Eisen, und auch sein Ross schien eisern an Mut und Farbe. Alle die ihm vorausgingen, zur Seite waren und ihm nachfolgten, ja das ganze Heer schien auf gleiche Weise ausgerüstet. Einen schnellen Blick darauf werfend, rief Ogger: „Hier hast du den, nach dem du so viel fragtest", und stürzte halb entseelt zu Boden.

Radbot lässt sich nicht taufen

Als der heilige Wolfram den Friesen das Christentum predigte, brachte er endlich Radbot ihren Herzog dazu, dass er sich taufen lassen wollte. Radbot hatte schon einen Fuß in das Taufbecken gestellt; da fiel ihm ein, vorher zu fragen: „Wohin denn seine Vorfahren gekommen wären? Ob sie bei den Scharen der Seligen, oder in der Hölle seien?" Sankt Wolfram antwortete: „Sie waren Heiden, und ihre Seelen sind verloren." Da zog Radbot schnell den Fuß zurück, und sprach: „Ihrer Gesellschaft mag ich mich nicht begeben; lieber will ich elend bei ihnen in der Hölle wohnen, als herrlich ohne sie im Himmelreich." So verhinderte der Teufel, dass Radbot getauft wurde: denn er starb den dritten Tag darauf, und fuhr dahin, wo seine Vorfahren waren.

Wittekinds Taufe

König Karl hatte die Gewohnheit, dass er an allen großen Festen den ihm nachfolgenden Bettlern einem
jeglichen einen Silberpfennig geben ließ. Es geschah nun in
der stillen Woche, dass Wittekind von Engern Bettlersklei-
der anlegte, und in Karls Lager unter die Bettler ging, um
die Franken auszukundschaften. Zu Ostern aber ließ der
König in seinem Zelt Messe lesen; da geschah ein göttli-
ches Wunder, dass Wittekind, als der Priester das Heiligtum emporhob, darin ein lebendiges Kind erblickte; das
deuchte ihm ein so schönes Kind, als er sein Lebtag nicht
gesehen, doch sah es außer ihm kein Auge. Nach der Messe
wurden die Silberpfennige an die armen Leute ausgeteilt,
dabei erkannte man Wittekind unter dem Bettelrock,
ergriff ihn und führte ihn vor den König. Da sagte er, was
er gesehen hätte, und er ward aller Dinge unterrichtet, so
dass sein Herz bewegt wurde. Er empfing die Taufe, und
sandte nach den anderen Fürsten in seinem Lager, dass sie
den Krieg einstellten und sich ebenfalls taufen ließen. Karl
aber machte ihn zum Herzog, und wandelte das schwarze
Pferd in seinem Schilde in ein weißes um.

Der Rosenstrauch zu Hildesheim

Als Ludwig der Fromme Winters in der Gegend von Hildesheim jagte, verlor er sein mit Heiligtum gefülltes Kreuz, das ihm vor allem lieb war. Er sandte seine Diener aus, um es zu suchen; und gelobte, an dem Orte, wo sie es finden würden, eine Kapelle zu bauen. Die Diener verfolgten die Spur der gestrigen Jagd auf dem Schnee und sahen bald aus der Ferne mitten im Wald einen grünen Rasen, und darauf einen grünenden wilden Rosenstrauch. Als sie ihm näher kamen, hing das verlorene Kreuz daran; sie nahmen es und berichteten dem Kaiser, wo sie es gefunden. Alsobald befahl Ludwig, auf der Stätte eine Kapelle zu erbauen, und den Altar dahin zu setzen, wo der Rosenstock stand. Dieses geschah, und bis auf diese Zeiten grünt und blüht der Strauch, und wird von einem eigens dazu bestellten Manne gepflegt. Er hat mit seinen Ästen und Zweigen die Rundung des Doms bis zum Dache umzogen.

Königin Adelheid

Als die Königin Adelheid, Lothars Gemahlin, von König Berengar hart in der Burg Canusium belagert wurde, und schon auf Mittel und Wege dachte, zu entfliehen, fragte Arduin: „Wieviel Scheffel Weizen habt Ihr noch auf der Burg?" „Nicht mehr", sagte Atto, „als fünf Scheffel Roggen und drei Sechter Weizen." „So folgt meinem Rate, nehmt ein Wildschwein, füttert es mit dem Weizen, und lasst es zum Tore hinaus laufen." Dieses geschah. Als nun das Schwein unten im Heer gefangen und getötet wurde, fand man in dessen Magen die viele Frucht. Man schloss daraus, dass es vergebens sein würde, diese Festung auszuhungern, und hob die Belagerung auf.

Der Binger Mäuseturm

Zu Bingen ragt mitten aus dem Rhein ein hoher Turm, von dem nachstehende Sage umgeht. Im Jahre 974 ward große Teuerung in Deutschland, dass die Menschen aus Not Katzen und Hunde aßen, und doch viele Leute Hungers starben. Da war ein Bischof zu Mainz, der hieß Hatto der andere, ein Geizhals, dachte nur daran, seinen Schatz zu mehren und sah zu, wie die armen Leute auf der Gasse niederfielen und haufenweis zu den Brotbänken liefen und das Brot mit Gewalt nahmen. Aber kein Erbarmen kam in den Bischof, sondern er sprach: „Lasset alle Armen und Dürftigen sammeln in einer Scheune vor der Stadt, ich will sie speisen." Und wie sie in die Scheune gegangen waren, schloss er die Türe zu, legte Feuer an und verbrannte die Scheune samt den armen Leuten, Jung und Alt, Mann und Weib. Als nun die Menschen unter den Flammen wimmerten und jammerten, rief Bischof Hatto: „Hört, hört, wie die Mäuse pfeifen!" Allein Gott der Herr plagte ihn bald, dass die Mäuse Tag und Nacht über ihn liefen und an ihm fraßen, und er vermochte sich mit aller Gewalt nicht ihrer zu erwehren. Da wusste er endlich keinen andern Rat, als er ließ einen Turm bei Bingen mitten in den Rhein bauen, der noch heutigentags zu sehen ist, und meinte sich darin zu fristen, aber die Mäuse schwammen durch den Strom heran; erklommen den Turm und fraßen den Bischof lebendig auf.

Otto mit dem Bart

Kaiser Otto der Große wurde in allen Ländern gefürchtet, er war strenge und ohne Milde, trug einen schönen roten Bart; was er bei diesem Barte schwur, machte er wahr und unabwendlich. Nun geschah es, dass er zu Babenberg (Bamberg) eine prächtige Hofhaltung hielt, zu welcher geistliche und weltliche Fürsten des Reiches in großer Zahl kommen mussten. Ostermorgens zog der Kaiser mit allen diesen Fürsten in das Münster, um die feierliche Messe zu hören, unterdessen in der Burg zu dem Gastmahl die Tische bereitet wurden; man legte Brot herum und setzte schöne Trinkgefäße darauf. An des Kaisers Hofe diente aber dazumal ein edler und wonnesamer Knabe, sein Vater war Herzog in Schwaben und hatte nur diesen einzigen Erben. Dieser schöne Jüngling kam von ungefähr vor die Tische gegangen, griff nach einem linden Brot mit seinen zarten, weißen Händen, nahm es auf und wollte essen, wie alle Kinder sind, die gerne in hübsche Sachen beißen, wonach ihnen der Wille steht. Wie er nun ein Teil des weißen Brotes abbrach, ging da mit seinem Stabe des Kaisers Truchsess, welcher die Aufsicht über die Tafel haben sollte; der schlug zornig den Knaben aufs Haupt, so hart und ungefüge, dass ihm Haar und Haupt blutig ward. Dass Kind fiel nieder und weinte heiße Tränen, dass der Truchsess gewagt hätte, es zu schlagen. Das ersah ein auserwählter Held, genannt Heinrich von Kempten, der war mit dem Kinde aus Schwaben gekommen und dessen Zuchtmeister; heftig verdross es ihn, dass man das zarte Kind so unbarmherzig geschlagen hatte, und fuhr den Truchsessen mit harten Worten an. Der Truchsess sagte, dass er kraft seines Amtes allen ungefügten Schälken an Hofe mitseinem Stabe wehren dürfe. Da nahm Herr Heinrich einen großen Knüttel und spaltete des Truchsessen Schädel, dass er wie ein Ei zerbrach, und der Mann tot zu Boden sank.

Unterdessen hatten die Herren Gotte gedient und gesungen, und kehrten zurück; da sah der Kaiser den blutigen Estrich, fragte und vernahm, was sich zugetragen hatte. Heinrich von Kempten wurde auf der Stelle vorgefordert, und Otto, von tobendem Zorn entbrannt, rief: „Dass mein Truchsess hier erschlagen liegt, schwöre ich an Euch zu rächen! Bei meinem Barte!" Als Heinrich von Kempten diesen teuren Eid aussprechen hörte und sah, dass es sein Leben galt, fasste er sich, sprang schnell auf den Kaiser los, und ergriff ihn bei dem langen, roten Barte. Damit schwang er ihn plötzlich auf die Tafel, dass die kaiserliche Krone von Ottos Haupte in den Saal fiel; und zuckte – als die Fürsten, um den Kaiser von diesem wütenden Menschen zu befreien, herzusprangen – sein Messer, indem er laut ausrief: „Keiner rühre mich an, oder der Kaiser liegt tot hier!" Alle traten zurück, Otto, in großer Not winkte es ihnen zu; der unverzagte Heinrich aber sprach: „Kaiser, wollt Ihr das Leben haben, so schwört mir Sicherheit bei Eurem Barte." Der Kaiser, der das Messer an seiner Kehle stehen sah, hob alsbald die Finger in die Höhe, und gelobte dem edlen Ritter bei seinem Barte, dass ihm das Leben geschenkt sein solle.

Heinrich, sobald er diese Gewissheit hatte, ließ er den roten Bart aus seiner Hand und den Kaiser aufstehen. Dieser aber setzte sich ohne Verzug auf den königlichen Stuhl, strich sich den Bart, und redete mit diesen Worten: „Ritter, Leib und Leben hab ich Euch zugesagt; damit fahrt Eurer Wege, hütet Euch aber vor meinen Augen, dass sie Euch nimmer wieder sehen, und räumet mir Hof und Land! Ihr seid mir zu schwer zum Hofgesind, und mein Bart müsse immerdar Euer Schermesser meiden!" Da nahm Heinrich von allen Rittern und Bekannten Urlaub, und zog gen Schwaben auf sein Land und Feld, das er vom Stifte zu Lehen trug; lebte einsam und in Ehren.

Danach über zehn Jahre begab es sich, dass Kaiser Otto einen schweren Krieg führte, jenseits des Gebirges, und vor einer festen Stadt lag. Da wurde er nothaft an Leuten und Mannen, und sandte heraus nach deutschen Landen: wer ein Lehn von dem Reiche trage, solle ihm schnell zu Hilfe eilen, bei Verlust des Lehens und seines Dienstes. Nun kam auch ein Bote zu dem Abt nach Kempten, ihn auf die Fahrt zu mahnen. Der Abt sandte wiederum seine Dienstleute, und forderte Herrn Heinrich, als dessen er vor allen bedürftig war. „Ach, edler Herr, was wollt Ihr tun", antwortete der Ritter, „Ihr wisst doch, dass ich des Kaisers Huld verwirkt habe; lieber gebe ich Euch meine zwei Söhne hin, und lasse sie mit Euch ziehen." „Ihr aber seid mir nötiger, als sie beide zusammen", sprach der Abt, „ich darf Euch nicht von diesem Zug entbinden, oder ich leihe Euer Land andern, die es besser zu verdienen wissen." „Traun", antwortete der edle Ritter, „ist dem so, dass Land und Ehre auf dem Spiel stehen, so will ich Euer Gebot leisten, es komme, was da wolle, und des Kaisers Drohung möge über mich ergehen."

Hiermit rüstete sich Heinrich zu dem Heerzug, und kam bald nach Welschland zu der Stadt, wo die Deutschen lagen; jedoch barg er sich vor des Kaisers Antlitz und floh ihn. Sein Zelt ließ er ein wenig seitwärts vom Heere aufschlagen. Eines Tages lag er da und badete in einem Zuber, und konnte aus dem Bad in die Gegend schauen. Da sah er einen Haufen Bürger aus der belagerten Stadt kommen, und den Kaiser dagegen reiten zu einem Gespräch, das zwischen beiden Teilen verabredet worden war. Die treulosen Bürger hatten aber diese List ersonnen; denn als der Kaiser ohne Waffen und arglos zu ihnen ritt, hielten sie gerüstete Mannschaft im Hinterhalte, und überfielen den Herrn mit frechen Händen, dass sie ihn fingen und schlügen. Als Herr Heinrich diesen Treubruch und Mord geschehen sah, ließ er Baden und Waschen, sprang aus dem Zuber, nahm den Schild mit der einen, und sein Schwert mit der andern Hand, und lief bloß und nackend nach dem Gemenge zu. Kühn schlug er unter die Feinde, tötete und verwundete eine große Menge, und machte sie alle flüchtig. Darauf löste er den Kaiser seiner Bande, und lief schnell zurück, legte sich in den Zuber, und badete nach wie vor. Otto, als er zu seinem Heer wieder gelangte, wollte erkundigen, wer sein unbekannter Retter gewesen wäre; zornig saß er im Zelt auf seinem Stuhl, und sprach: „Ich war verraten, wo mir nicht zwei ritterliche Hände geholfen hätten; wer aber den nackten Mann erkennt, führe ihn vor mich her, dass er reichen Lohn und meine Huld empfange; kein kühnerer Held lebt hier noch anderswo."

Nun wussten wohl einige, dass es Heinrich von Kempten gewesen war; doch fürchteten sie den Namen dessen auszusprechen, dem der Kaiser den Tod geschworen hatte. „Mit dem Ritter", antworteten sie, „stehet es so, dass schwere Ungnade auf ihm lastet; möchte er deine Huld wieder gewinnen, so ließen wir ihn vor dir sehen." Da nun der Kaiser sprach: „Und wenn er ihm gleich seinen Vater erschlagen hätte, solle ihm vergeben sein", nannten sie ihm Heinrich von Kempten. Otto befahl, dass er alsobald herbeigebracht würde; er wollte ihn aber erschrecken und übel empfahen.

Als Heinrich von Kempten hereingeführt war, gebärdete der Kaiser sich zornig und sprach: „Wie Ihr getrauet Euch, mir unter die Augen zu treten? Ihr wisst doch wohl, warum ich Euer Feind bin, der Ihr meinen Bart getauft und ohne Schermesser geschoren habt, dass er noch ohne Locke steht. Welcher hochfärtige Übermut hat Euch jetzt daher geführt?" „Gnade, Herr", sprach der kühne Degen, „ich kam gezwungen hierher, und mein Fürst, der hier steht, gebot es bei seiner Huld. Gott sei mein Zeuge, wie ungern ich diese Fahrt getan; aber meinen Diensteid musste ich lösen: wer mir das übel nimmt, dem lohne ich so, dass er sein letztes Wort gesprochen hat." Da begann Otto zu lachen: „Seid mir tausendmal willkommen, Ihr auserwählter Held! Mein Leben habt Ihr gerettet, das musste ich ohne Eure Hilfe verloren haben, seliger Mann." So sprang er auf, küsste ihm Augen und Wangen. Ihre Feindschaft war dahin, und eine laute Sühne wurde gemacht; der hochgeborne Kaiser verlieh und gab ihm großen Reichtum, und brachte ihn zu Ehren, deren man noch gedenket.

Das Rad im Mainzer Wappen

Im Jahre 1009 wurde Willegis, ein frommer und gelehrter Mann, zum Bischof von Mainz gewählt; er war aber von geringer, armer Herkunft, und sein Vater ein Wagnersmann gewesen. Des hassten ihn die adligen Domherren und Stiftsgenossen, nahmen Kreide und malten ihm verdrießweise Räder an die Wände und Türen seines Schlosses; sie gedachten ihm damit eine Schmach zu tun. Als der fromme Bischof ihren Spott vernahm, da hieß er einen Maler rufen; dem befahl er, mit guter Farbe in alle seine Gemächer weiße Räder in rote Felder zu malen, und ließ dazu setzen einen Reim, der sagte: „Willegis, Willegis, denk woher du kommen fis." Daher rührt, dass seit der Zeit alle Bischöfe zu Mainz weiße Räder im roten Schild führen. Andere fügen hinzu, Willegis habe, von Demut wegen, ein hölzernes Pflugrad stets an seiner Bettstätte hangen gehabt.

Der Rammelsberg

Zur Zeit als Kaiser Otto I. auf der Harzburg hauste, hielt er auch an dem Harzgebirge große Jagden ab. Da geschah es, dass Ramm seiner besten Jäger einer, an den Vorbergen jagte, der Burg gegen Niedergang, und ein Wild verfolgte. Bald aber wurde der Berg zu steil, darum stieg der Jäger ab von seinem Ross, band es an einen Baum, und eilte dem Wild zu Fuß nach. Sein zurückbleibendes Pferd stampfte ungeduldig, und kratzte mit den Vorderhufen auf den Grund. Als sein Herr, der Jäger Ramm, von der Verfolgung des Wildes zurückkehrte, sah er verwundert, wie sein Pferd gearbeitet und mit den Füßen einen schönen Erzgang aufgescharrt hatte. Da hub er einige Stufen auf und trug sie dem Kaiser hin, der alsbald das entblößte Bergwerk angreifen und mit Schürfen versuchen ließ. Man fand eine reichliche Menge Erz, und der Berg wurde dem Jäger zu Ehren Rammelsberg geheißen. Des Jägers Frau nannte sich Gosa, und von ihr empfing die Stadt Goslar, die nahe bei dem Berg gebaut wurde, den Namen. Das Flüsschen, das durch die Stadt rinnt, heißt ebenfalls Gose desgleichen das daraus gebraute Weißbier. Der Jäger wurde in der Augustinskapelle begraben, und auf dem Leichenstein mit seiner Frau in Lebensgröße ausgehauen; Rammel trägt in der Rechten ein Schwert über sich, und Gosa eine Krone auf dem Haupt.

Die Grafen von Eberstein

Als Kaiser Otto seine Feinde geschlagen und die Stadt Straßburg bezwungen hatte, lagerte er vor der Burg der Grafen Eberstein, die es mit seinen Feinden hielten. Das Schloss stand auf einem hohen Fels am Wald (unweit Baden in Schwaben), und dritthalb Jahr lang konnte es das kaiserliche Heer immer nicht bezwingen, sowohl der natürlichen Festigkeit, als der tapferen Verteidigung der Grafen wegen. Endlich riet ein kluger Mann dem Kaiser folgende List: „Er solle einen Hoftag nach Speier ausschreiben, zu welchem jedermann ins Turnier sicher kommen dürfte; die Grafen Eberstein würden nicht säumen, sich dahin einzufinden, um ihre Tapferkeit zu beweisen; mittlerweile möge der Kaiser durch geschickte und kühne Leute ihre Burg überwältigen lassen." Der Festtag zu Speier wurde hierauf verkündigt; der Kaiser, viele Fürsten und Herren, unter diesen auch die drei Ebersteiner waren zugegen; manche Lanze wurde gebrochen. Des Abends begannen die Reihen, wobei der jüngste Graf von Eberstein, ein schöner anmutiger Mann, mit krausem Haar, vortanzen musste. Als der Tanz zu Ende ging, nahte sich heimlich eine schöne Jungfrau den drei Grafen und raunte: „Hütet euch, denn der Kaiser will eure Burg ersteigen lassen, während ihr hier seid, eilt noch heute Nacht zurück!" Die drei Brüder berieten sich, und beschlossen, der Warnung zu gehorchen. Darauf kehrten sie zum Tanz zurück, forderten die Edeln und Ritter zum Kampf auf morgen, und hinterlegten hundert Goldgülden zum Pfand in die Hände der Frauen. Um

Mitternacht aber schifften sie über den Rhein und gelangten glücklich in ihre Burg heim. Kaiser und Ritterschaft warteten am, andern Tage vergebens auf ihr Erscheinen beim Lanzenspiel; endlich vermutete man, dass die Ebersteiner gewarnt worden wären. Otto befahl, aufs schleunigste die Burg zu stürmen, aber die Grafen waren zurückgekehrt und schlugen den Angriff mutig ab. Als mit Gewalt gar nichts auszurichten war, sandte der Kaiser drei Ritter auf die Burg, mit den Grafen zu unterhandeln. Sie wurden eingelassen, und in Weinkeller und Speicher geführt; man holte weißen und roten Wein, Korn und Mehl lagen in großen Haufen. Die Abgesandten verwunderten sich über solche Vorräte. Allein die Fässer hatten doppelten Boden oder waren voll Wasser; unter dem Getreide lag Spreu, Kehricht und alte Lumpen. Die Gesandten hinterbrachten dem Kaiser, „es sei vergeblich die Burg länger zu belagern; denn Wein und Korn reiche denen inwendig noch auf dritthalb Jahre aus." Da wurde Otto geraten, seine Tochter mit dem jüngsten Grafen Eberhard von Eberstein zu vermählen, und dadurch dieses tapfere Geschlecht auf seine Seite zu bringen. Die Hochzeit ward in Sachsen gefeiert, und der Sage nach soll es die Braut selber gewesen sein, welche an jenem Abend die Grafen gewarnt hatte. Otto sandte seinen Schwiegersohn hernachmals zum Papst in Geschäften; der Papst schenkte ihm eine Rose in weißem Korb, weil es gerade der Rosensonntag war. Diese nahm Eberhard mit nach Braunschweig, und der Kaiser verordnete: dass die Rose in weißem Felde künftig das ebersteinsche Wappen bilden sollte.

Die Weiber zu Weinsperg

Als König Konrad III. den Herzog Welf geschlagen hatte (im Jahr 1140) und Weinsperg belagerte, so bedingten die Weiber der Belagerten die Übergabe damit, dass eine jede auf ihren Schultern mitnehmen dürfte, was sie tragen könne. Der König gönnte das den Weibern. Da ließen sie alle Dinge fahren, und nahm eine jegliche ihren Mann auf die Schulter und trugen den heraus. Und als des Königs Leute das sahen, sprachen ihrer viele, das wäre die Meinung nicht gewesen, und wollten das nicht gestatten. Der König aber lachte und gewährte Gnade dem listigen Anschlag der Frauen: „Ein königlich Wort", rief er, „das einmal gesprochen und zugesagt ist, soll unverwandelt bleiben."

Lohengrin zu Brabant

Der Herzog von Brabant und Limburg starb ohne andere Erben, als eine junge Tochter Elsa zu hinterlassen; diese empfahl er auf dem Todbette einem seiner Dienstmannen, Friedrich von Telramund. Friedrich, sonst ein tapferer Held, der zu Stockholm in Schweden einen Drachen getötet hatte, wurde übermütig, und warb um der jungen Herzogin Hand und Land, unter dem falschen Vorgehen, dass sie ihm die Ehe gelobt hatte. Da sie sich standhaft weigerte, klagte Friedrichbei dem Kaiser, Heinrich dem Vogler; und es wurde Recht gesprochen, „dass sie sich im Gotteskampf durch einen Helden gegen ihn verteidigen müsse." Als sich keiner finden wollte, betete die Herzogin inbrünstig zu Gott um Rettung. Da erscholl weit davon zu Montsalvat beim Gral der Laut der Glocke, zum Zeichen, dass jemand dringender Hilfe bedürfe: alsobald beschloss der Gral, den Sohn Parzivals, Lohengrin, danach auszusenden. Eben wollte dieser seinen Fuß ins den Stegreif setzen: da kam ein Schwan auf dem Wasser geflossen, und zog hinter sich ein Schiff daher. Kaum erblickte ihn Lohengrin, als er rief: „Bringt das Ross wieder zur Krippe; ich will nun mit diesem Vogel ziehen, wohin er mich führt." Speise im Vertrauen auf Gott nahm er nicht in das Schiff; nachdem sie fünf Tage über Meer gefahren hatten, fuhr der Schwan mit dem Schnabel ins Wasser, fing ein Fischlein aus, aß es halb und gab dem Fürsten die andere Hälfte zu essen.

Unterdessen hatte Elsa ihre Fürsten und Mannen nach Antwerpen zu einer Landsprache berufen. Gerade am

Tage der Versammlung sah man einen Schwan die Schelde
heraufschwimmen, der ein Schifflein zog, in welchem
Lohengrin auf sein Schild ausgestreckt schlief. Der Schwan
landete bald am Gestade und der Fürst wurde fröhlich empfangen; kaum hatte man ihm Helm, Schild und
Schwert aus dem Schiff getragen, als der Schwan sogleich
zurückfuhr. Lohengrin vernahm nun das Unrecht, welches
die Herzogin litt und übernahm es gerne, ihr Kämpfer zu
sein. Elsa ließ hieran alle ihre Verwandten und Untertanen entbieten, die sich bereitwillig in großer Zahl einstellten; selbst König Gotthard ihr mütterlicher Ahn, kam aus
Engelland, durch Gundemar, Abt zu Clarbrunn, berufen.
Der Zug machte sich auf den Weg, sammelte sich nachher
vollständig zu Saarbrück, und ging von da nach Mainz.
Kaiser Heinrich, der sich zu Frankfurt aufhielt, kam nach
Mainz entgegen; und in dieser Stadt wurde das Gestühl
errichtet, wo Lohengrin und Friedrich kämpfen sollten. Der Held vom Gral überwand Friedrich, und dieser
gestand, die Herzogin angelogen zu haben, und wurde mit
Schlägel und Beil gerichtet. Elsa vermählte sich nun dem
Lohengrin, die sich längst einander liebten, doch behielt
er sich insgeheim voraus, dass ihr Mund alle Fragen nach
seiner Herkunft zu vermeiden habe: denn sonst müsse er
sie augenblicklich verlassen.

Eine Zeitlang verlebten die Eheleute in ungestörtem
Glück, und Lohengrin beherrschte das Land weise und
mächtig; auch dem Kaiser leistete er, auf den Zügen gegen
die Hunnen und Heiden, große Dienste. Es trug sich aber
zu, dass er einmal im Speerwechsel den Herzog von Cleve
herunter stach, und dieser den Arm brach; neidisch redete
da die Clever Herzogin laut unter den Frauen: „Ein kühner
Held mag Lohengrin sein, und Christenglauben scheint
er zu haben; schade, dass Adels halben sein Ruhm gering
ist; denn niemand weiß, woher er ans Land geschwommen

kam." Dies Wort ging der Herzogin von Brabant durch das Herz, sie errötete und erblich. Nachts weinte sie und ihr Gemahl sprach: „Lieb, was wirret dir?" Sie antwortete: „die Clever Herzogin hat mich zu tiefem Seufzen gebracht", aber Lohengrin schwieg und fragte nicht weiter. Die zweite Nacht weinte sie wieder; er aber merkte es wohl, und stillte sie nochmals. Allein in der dritten Nacht konnte sich Elsa nicht länger halten, und sprach: „Herr, zürnt mir nicht! Ich wüsste gern, von wannen Ihr geboren seid; denn mein Herz sagt mir, Ihr seiet reich an Adel." Als nun der Tag anbrach, erklärte Lohengrin öffentlich, von woher er stamme: dass Parzival sein Vater sei, und Gott ihn vom Grale hergesandt habe. Darauf ließ er seine beiden Kinder bringen, küsste sie, und befahl, „ihnen Horn und Schwert, das er zurück-lasse, wohl aufzuheben"; der Herzogin ließ er das Ringe-lein, das ihm einst seine Mutter geschenkt hatte. Da kam mit Eile sein Freund, der Schwan, geschwommen, hinter ihm das Schifflein; der Fürst trat hinein, und fuhr wider Wasser und Wege in des Grales Amt. Elsa sank ohnmäch-tig nieder. Kaiser und Reich nahmen sich der Waisen an; die Kinder hießen Johann und Lohengrin. Die Witwe aber weinte, und klagte ihr übriges Leben lang um den geliebten Gemahl, der nimmer wiederkehrte.

Wie Ludwig Wartburg bekommen

Als der Bischof von Mainz Ludwigen, genannt den Springer, taufte, begabte er ihn mit allem Land, was dem Stift zuständig war, von der Hörsel bis an die Werra. Ludwig aber, nachdem er zu Jahren kam, baute die Wartburg bei Eisenach, und man sagt, es sei also gekommen. Auf eine Zeit ritt er an die Berge aus jagen, und folgte einem Stück Wild nach, bis an die Hörsel bei Niedereisenach, auf den Berg, da jetzo die Wartburg liegt. Da wartete Ludwig auf sein Gesinde und Dienerschaft. Der Berg aber gefiel ihm wohl, denn er war steil und fest; gleichwohl oben räumig, und breit genug darauf zu bauen. Tag und Nacht trachtete er dahin, wie er ihn an sich bringen möchte; weil er nicht sein war, und zum Mittelstein gehörte, den die Herren von Frankenstein innehatten. Er ersann eine List, nahm sein Volk zusammen, und ließ in einer Nacht Erde von seinem Grund in Körben auf den Berg tragen, und ihn ganz damit beschütten; zog darauf nach Schönburg, ließ einen Burgfrieden machen, und fing an, mit Gewalt auf jenem Berg zu bauen. Die Herren von Frankenstein verklagten ihn vor dem Reich, dass er sich des Ihren freventlich und mit Gewalt unternähme. Ludwig antwortete: er baue auf das Seine, und gehörte auch zu dem Seinen, und wollte das erhalten mit Recht. Da ward zu Recht erkannt: wo er das erweisen und erhalten könne, mit zwölf ehrbaren Leuten, hätte er's zu genießen. Und er nahm zwölf Ritter, und trat mit ihnen auf den Berg, und sie zogen ihre Schwerter aus, und steckten sie in die Erde (die er darauf hatte tragen las-

148

sen), schwuren: dass der Graf auf das Seine bauen, und der oberste Boden hätte von alters zum Land und Herrschaft Thüringen gehört. Also verblieb ihm der Berg, und die neue Burg benannte er Wartburg, darum, weil er auf der Stätte seines Gesindes gewartet hatte.

Der hart geschmiedete Landgraf

Zu Ruhla im Thüringerwald liegt eine uralte Schmiede, und sprichwörtlich pflegte man von langen Zeiten her einen strengem unbiegsamen Mann zu bezeichnen: er ist in der Ruhla hart geschmiedet worden.

Landgraf Ludwig zu Thüringen und Hessen war anfänglich ein gar milder und weicher Herr, demütig gegen jedermann; da huben seine Junker und Edelinge an stolz zu werden, verschmähten ihn und seine Gebote; aber die Untertanen drückten und brandschatzten sie aller Enden. Es trug sich nun einmal zu, dass der Landgraf jagen ritt in dem Walde, und traf ein Wild an; dem folgte er nach so lange, dass er sich verirrte und bald die Nacht hereinbrach. Da gewahrte er eines Feuers durch die Bäume, richtete sich danach und kam in die Ruhla, zu einem Hammer oder Waldschmiede. Der Fürst war mit schlechten Kleidern angetan, hatte sein Jagdhorn umhängen. Der Schmied fragte: wer er wäre? „Des Landgrafen Jäger." Da sprach der Schmied: „Pfui des Landgrafen! wer ihn nennet, sollte allemal das Maul mischen, des barmherzigen Herrn!" Ludwig schwieg, und der Schmied sagte zuletzt: „Habergen will ich dich heut; in dem Schuppen da findest du Heu, magst dich mit deinem Pferde behelfen; aber um deines Herrn willen, will ich dich nicht beherbergen." Der Landgraf ging beiseite, doch er konnte nicht schlafen. Die ganze Nacht aber arbeitete der Schmied, und wenn er so mit dem großen Hammer das Eisen zusammenschlug, sprach er bei jedem Schlag: „Landgraf werde hart, Landgraf werde hart, wie dies Eisen!" und schalt ihn und sprach weiter: „Du böser, unseliger Herr! was taugst du den armen Leuten zu leben? Siehst du nicht, wie deine Räte das Volk plagen und aussaugen?" Und erzählte also die liebe lange Nacht, was die Beamten für Untugend mit den armen Untertanen übten. Klagten dann die Untertanen, so wäre niemand, der ihnen Hilfe täte; denn der Herr nähme es nicht an, die Ritterschaft spottete seiner hinterrücks, nannten ihn Landgraf Metz, und hielten ihn gar unwert. Unser Fürst und seine Jäger treiben die Wölfe ins Garn, und die Amtleute die roten Füchse (die Goldmünzen) in ihre Beutel. Mit solchen und andern Worten redete der Schmied die ganze lange Nacht zu dem Schmiedegesellen, und wenn die Hammerschläge kamen, schalt er den Herrn, und hieß ihn hart werden wie das Eisen. Das trieb er bis zum Morgen; aber der Landgraf fasste alles zu Ohren und Herzen, und ward seit der Zeit scharf und ernsthaftig in seinem Gemüt, begann die Widerspenstigen zu zwingen , und zum Gehorsam bringen. Das wollten etliche nicht leiden und verbanden sich gegen ihren Herrn.

Ludwig ackert mit seinen Adligen

Als nun Ludwig der Eiserne einen seiner Ritter überzog, der sich wider ihn vergangen hatte, sammelten sich die andern, und wollten's nicht leiden. Da kam er zu streiten mit ihnen bei der Naumburg an der Saale, bezwang und fing sie, und führte sie zu der Burg. Dort strafte er sie hart mit Worten: „Euren geleisteten Eid, so ihr mir geschworen und gelobet, habt ihr böslich gehalten. Nun wollte ich zwar euer Untreue wohl lohnen, wenn ich's aber täte, spräche man vielleicht, ,ich tötete meine eigne Diener'; sollte ich euch brandschatzen, spräche man mir's auch nicht wohl; ließe ich euch aber los, so achtetet ihr meines Zorns fürder nicht." Da nahm er sie und führte sie zu Felde, und fand auf dem Acker einen Pflug; darein spannte er der ungehorsamen Edelleute je vier, ackerte mit ihnen eine Furche und die Diener hielten den Pflug; er aber trieb mit der Geißel und hieb, dass sie sich beugten und oft auf die Erde fielen. Wann eine Furche geackert war, spannte er vier andere ein, und ackerte dann also einen ganzen Acker, gleich als mit Pferden; und ließ danach den Acker mit großen Steinen zeichnen zu einem ewigen Gedächtnis. Und den Acker machte er frei, dergestalt „dass ein jeder Übeltäter, wie groß er auch wäre, wenn er darauf käme, daselbst solle frei sein; und wer diese Freiheit brechen würde, sollte den Hals verloren haben"; nannte den Acker den Edelacker, führte sie daran wieder zur Naumburg, da mussten sie ihm auf ein neues schwören und huldigen. Danach ward der Landgraf im ganzen Lande gefürchtet, und wo die, so den Pflug gezogen hatten, seinen Namen nennen hörten, erseufzeten sie und schämeten sich. Die Geschichte erscholl an allen Enden in deutschen Landen, und etliche schalten den Herrn darum, und wurden ihm gram; etliche schalten die Beamten, dass sie so untreu gewesen; etliche meinten auch, sie wollten sich ehr haben töten lassen, dann in den Pflug spannen. Etliche auch demütigten sich gegen ihren Herrn, denen tat er gut und hatte sie lieb. Etliche aber wollten's ihm nicht vergessen, trachteten ihm heimlich und öffentlich nach Leib und Leben. Und wenn er solche fing, ließ er sie hängen, enthaupten und ertränken, und in den Stöcken sterben. Darum gewann er viele heimliche Neider von ihren Kindern und Freunden, ging derohalben mit seinen Dienern stetig in einem eisernen Panzer, wo er hinging. Darum hieß man ihn den eisernen Landgrafen.

Ludwig baut eine Mauer

Einmal führte der eiserne Landgraf den Kaiser Friedrich Rotbart, seinen Schwager, nach Naumburg aufs Schloss; da ward der Kaiser von seiner Schwester freundlich empfangen, und blieb eine Zeitlang da bei ihnen. Eines Morgens lustwandelte der Kaiser, besah die Gebäude und ihre Umgebung und kam hinaus auf den Berg, der sich vor dem Schloss ausbreitete. Und sprach: „Eure Burg behaget mir wohl, aber sie müsste auch Mauern hier vor der Kemnate haben, und die sollten auch stark und fest sein." Der Landgraf erwiderte: „Um die Mauern sorg ich nicht, die kann ich schnell erschaffen, sobald ich ihrer bedarf." Da sprach der Kaiser: „Wie bald kann eine gute Mauer hierum gemacht werden?" „Eher als in drei, Tagen", antwortete Ludwig. Der Kaiser lachte und sprach: „Das wäre ja Wunder; und wenn alle Steinmetzen des deutschen Reichs hier beisammen wären: so möchte das kaum geschehen."

Es war aber an der Zeit, dass der Kaiser zu Tische ging, da bestellte der Landgraf heimlich seinen Schreibern und Dienern: dass man von Stund an Boten zu Ross aussandte zu allen Grafen und Herren in Thüringen, und ihnen meldete, dass sie zur Nacht mit wenig Leuten in dem besten Rüstzeug und Schmuck auf die Burg kämen. Das geschah. Früh morgens, als der Tag anbrach, richtete Landgraf Ludwig das Volk also an, dass ein jeder auf den Graben um die Burg trat, gewappnet und geschmückt mit Gold, Silber, Samt, Seiden und den Wappenröcken, als wenn man zu streiten auszieht; und jeder Graf oder Edelmann hatte einen Knecht vor sich, der das Wappen trug, und einen Knecht hinter sich, der den Helm trug; so dass man deutlich jedes Wappen und Kleinod erkennen konnte. So standen nun alle Dienstmannen rings um den Graben, hielten bloße Schwerter und Äxte in Händen, und wo ein Mauerturm stehen sollte, da stand ein Freiherr oder ein Graf mit dem Banner. Als Ludwig alles dies stillschweigend geordnet hatte, ging er zu seinem Schwager, und sagte: Die Mauer, die er sich gestern gerühmt hätte zu machen, stehe bereit und fertig. Da sprach Friedrich: „Ihr täuschet mich", und segnete sich, wenn er es etwa mit der schwarzen Kunst zuwege gebracht haben möchte. Und als er auswendig zu dem Graben trat, und so viel Schmuck und Pracht erblickte, sagte er: „Nun hab ich löstlicher, edler, teurer und besser Mauern zeit meines Lebens noch nicht gesehen; das will ich Gott und Euch bekennen, lieber Schwager, habt immer Dank, dass Ihr mir solche gezeigt habt."

Landgraf Philipp und die Bauersfrau

Landgraf Philipp pflegte gern unbekannterweise in seinem Lande umher zu ziehen, und nach seiner Untertanen Zustand zu forschen. Einmal ritt er auf die Jagd, und begegnete einer Bäuerin, die trug ein Gebund Leinengarn auf dem Kopfe. „Was tragt Ihr, und wohin wollt Ihr?", fragte der Landgraf, den sie nicht erkannte, weil er in schlechten Kleidern einherging. Die Frau antwortete: „Ein Gebund Garn, damit will ich zur Stadt, dass ich es verkaufe, und die Schatzung und Steuer bezahlen kann, die der Landgraf hat ausschreiben lassen; des Garns muss ich selber wohl an zehn Enden entraren", und klagte erbärmlich über die böse Zeit. „Wieviel Steuer trägt es Euch?", sprach der Fürst. „Einen Ortsgulden", sagte sie; da nahm er seinen Säckel, zog so viel heraus, und gab ihr das Geld, damit sie ihr Garn behalten könnte. „Ach nun lohn's Euch Gott, lieber Junker", rief das Weib, „ich wollte, der Landgraf hätte das Geld glühend auf seinem Herzen!" Der leutselige Fürst ließ die Bäuerin ihres Weges ziehen, kehrte sich gegen sein Gesinde um, und sprach mit lachendem Munde: „Schauet den wunderlichen Handel! Den bösen Wunsch hab ich mit meinem eigenen Geld erkauft."

Landgraf Moritz von Hessen

Es war ein gemeiner Soldat, der diente beim Landgrafen Moritz, und ging gar wohl gekleidet, und hatte immer Geld in der Tasche; und doch war seine Löhnung nicht so groß, dass er sich, seine Frau und Kinder so stolz hätte davon halten können. Nun wussten die andern Soldaten nicht, wo er den Reichtum herkriegte, und sagten es dem Landgrafen. Der Landgraf sprach: „Das will ich wohl erfahren"; und als es Abend war, zog er einen alten Linnenkittel an, hing einen rauen Ranzen über, als wenn er ein alter Bettelmann wäre, und ging zum Soldaten. Der Soldat fragte, was sein Begehren wäre? „Ob er ihn nicht über Nacht behalten wollte?" „Ja", sagte der Soldat, „wenn er rein wäre, und kein Ungeziefer an sich trüge", dann gab er ihm zu essen und zu trinken, und als er fertig war, sprach er zu ihm: „Kannst du schweigen, so sollst du in der Nacht mit mir gehen, und da will ich dir etwas geben, dass du dein Lebtag nicht mehr zu betteln brauchst." Der Landgraf sprach: „Ja, schweigen kann ich, und durch mich soll nichts verraten werden." Darauf wollten sie schlafen gehen; aber der Soldat gab ihm erst ein rein Hemd, das sollte er anziehen und seines aus, damit kein Ungeziefer in das Bett käme. Nun legten sie sich nieder; bis Mitternacht kam, da weckte der Soldat den Armen und sprach: „Steh auf, zieh dich an und geh mit mir." Das tat der Landgraf und sie gingen zusammen in Kassel herum. Der Soldat aber hatte ein Stück Springwurzel, wenn er das vor die Schlösser der Kaufmannsläden hielt, sprangen sie auf. Nun gingen sie beide hinein; aber der Soldat nahm nur vom Überschuss etwa, was einer durch die Elle oder das Maß herausgemessen hatte, vom Kapital griff er nichts an. Davon nun gab er dem Bettelmann auch etwas in seinen Ranzen. Als sie ganz in Kassel herum waren, sprach der Bettelmann: „Wenn wir doch dem Landgrafen könnten über seine Schatzkammer kommen!" Der Soldat antwortete: „Die will ich dir auch wohl weisen; da liegt ein bisschen mehr, als bei den Kaufleuten." Da gingen sie nach dem Schloss zu, und der Soldat hielt nur die Springwurzel « gegen die vielen Eisentüren, so taten sie sich auf: und sie gingen hindurch, bis sie in die Schatzkammer gelangten, wo die Goldhaufen aufgeschüttet waren. Nun tat der Landgraf, als wollte er hinein greifen und eine Handvoll einstecken; der Soldat aber, als er das sah, gab ihm drei gewaltige Ohrfeigen und sprach: „Meinem gnädigen Fürsten darfst du nichts nehmen, dem muss man getreu sein!" „Nun sei nur nicht bös", sprach der Bettelmann, „ich habe ja noch nichts genommen." Darauf gingen sie zusammen nach Haus, und schliefen wieder bis der Tag anbrach; da gab der Soldat dem Armen erst zu essen und zu trinken, und noch etwas Geld dabei, sprach auch: „Wenn das all ist und du brauchst wieder, so komm nur getrost zu mir; betteln sollst du nicht."

Der Landgraf aber ging in sein Schloss, zog den Linnenkittel aus und seine fürstlichen Kleider an. Darauf ließ er den wachthabenden Hauptmann rufen und befahl, er sollte den und den Soldaten – und nannte den, mit welchem er in der Nacht herum gegangen war – zur Wache an seiner Tür beordern. „Ei", dachte der Soldat, „was wird da los sein, du hast noch niemals die Wache getan; doch, wenn's dein, gnädiger Fürst befiehlt, ist's gut." Als er nun da stand, hieß der Landgraf ihn hereintreten und fragte ihn: warum er sich so schön trüge und wer ihm das Geld dazu gäbe? „Ich und meine Frau, wir müssen's verdienen mit Arbei-

ten", antwortete der Soldat, und wollte weiter nichts zuge-
stehen. „Das bringt so viel nicht ein", sprach der Landgraf,
„du musst sonst was haben. Der Soldat gab aber nichts zu.
Da sprach der Landgraf endlich: „Ich glaube gar, du gehst
in meine Schatzkammer, und wenn ich dabei bin, gibst du
mir eine Ohrfeige." Wie das der Soldat hörte, erschrak er,
und fiel vor Schrecken zur Erde hin. Der Landgraf aber
ließ ihn von seinen Bedienten aufheben, und als der Soldat
wieder zu sich selber gekommen war, und um eine gnädige
Strafe bat, so sagte der Landgraf: „Weil du nichts angerührt
hast, als es in deiner Gewalt stand, so will ich dir alles vergeben; und weil ich sehe, dass du treu gegen mich bist, so
will ich für dich sorgen", und gab ihm eine gute Stelle, die
er versehen konnte.

Brot und Salz segnet Gott

Es ist gemeiner Brauch unter uns Deutschen, dass der, welcher eine Gasterei hält, nach der Mahlzeit sagt: „Es ist nicht viel zum besten gewesen, nehmt so vorlieb." Nun trug es sich zu, dass ein Fürst auf der Jagd war, einem Wild nacheilte und von seinen Dienern abkam, also dass einen Tag und eine Nacht im Walde herumirrte. Endlich gelangte er zu einer Köhlerhütte, und der Eigentümer stand in der Türe. Da sprach der Fürst, weil ihn hungerte: „Glück zu, Mann! Was hast du zum Besten?" Der Kohler antwortete: „Ich habe Gott und allewege wohl genug." „So gib her, was du hast", sprach der Fürst. Da ging der Köhler und brachte in der einen Hand ein Stück Brot, in der andern einen Teller mit Salz; das nahm der Fürst und aß, denn er war hungrig. Er wollte gern dankbar sein, aber er hatte kein Geld bei sich; darum löste er den einen Steigbügel ab, der von Silber war, und gab ihn dem Köhler; dann bat er ihn, er möchte ihn wieder an den rechten Weg bringen, was auch geschah.

Als der Fürst heimgekommen war, sandte er Diener aus, die mussten diesen Köhler holen. Der Köhler kam und brachte den geschenkten Steigbügel mit; der Fürst hieß ihn willkommen, und zu Tische sitzen, auch getrost sein: es sollt ihm kein Leid widerfahren. Unter dem Essen fragte der Fürst: „Mann, es ist dieser Tage ein Heer bei dir gewesen; sie herum, ist derselbe hier mit über der Tafel?" Der Kähler antwortete: „Mich deucht, Ihr seid es wohl selbst", zog damit den Steigbügel hervor und sprach weiter: „Wollt Ihr das Ding wieder haben?" „Nein", antwortete der Fürst,

„das soll dir geschenkt sein, lass dir's nur schmecken und sei lustig." Wie die Mahlzeit geschehen und man aufgestanden war, ging der Fürst zu dem Köhler, schlug ihn auf die Schulter und sprach: „Nun Mann, nimm so vorlieb, es ist nicht viel zum Besten gewesen." Da zitterte der Köhler; der Fürst fragte ihn, warum? Er antwortete: er dürfte es nicht sagen. Als aber der Fürst darauf bestand, sprach er: „O Herr! als Ihr sagtet, es wäre nicht viel zum Besten gewesen, da stand der Teufel hinter euch!" „Ist das war", fragte der Fürst, „so will ich dir auch sagen, was ich gesehen. Als ich vor deine Hütte kam und dich fragte, was du zum Besten hättest und du antwortetest: ‚Gott und allgenug!', da sah ich einen Engel Gottes hinter dir stehen. Darum aß ich von dem Brot und Salz und war zufrieden; will auch nun künftig hier nicht mehr sagen, dass nicht viel zum Besten gewesen."

www.ingramcontent.com/pod-product-compliance
Ingram Content Group UK Ltd.
Pitfield, Milton Keynes, MK11 3LW, UK
UKHW040618170225
4623UKWH00017B/86